Capítulo 1
Volver a Jung

"Es un deber moral del hombre de ciencia exponerse a cometer errores y sufrir críticas para que la ciencia avance."

G. FERRERO

En los últimos años hemos podido asistir a un auténtico fenómeno cultural, en el cual vastos sectores de la sociedad han mostrado su interés creciente por conocer la obra y el pensamiento de Jung.

Este interés puede ser medido, entre otros factores, en la cantidad de textos que han aparecido sobre el tema en distintos países y lenguas.

En estas publicaciones un detalle que llama la atención es el número de libros que intentan, desde Jung, articular campos científicos diversos, como si de alguna forma el texto de Jung tuviese la virtud de ser una matriz de transformaciones capaz de permitir el paso de un espacio conceptual a otro. Pero, ¿tiene realmente esa virtud?

Para poder responder a esta pregunta, debemos primero hacer algunas reflexiones sobre el estado actual y el destino de la obra de Carl G. Jung. Buscar capturar la estructura fundamental de su texto y aprender la lección que haya podido dejar su enseñanza. Para esto es que debemos volver a Jung.

A partir del campo teórico inaugurado por Sigmund Freud —al postular el concepto de inconsciente como sistema determinante de la conducta consciente— Jung plantea un acercamiento científico de la Psicología como un espacio problemático. Problemático porque lo psíquico se presenta a la reflexión como algo inasible que genera interrogantes al conocimiento, y que pone en evidencia la imposibilidad del "método experimental" para comprender su dinamismo.

Este hecho fue algo que Jung advirtió tempranamente en sus reflexiones. Desde esta constatación, desarrolló un modelo de análisis de la fenomenología psíquica, basado en un conjunto de hipótesis que configuran el sistema conceptual de su Psicología Compleja.

El núcleo de esta concepción de lo psíquico se fundamenta en que los hechos propios de esta dimensión del hombre poseen un sentido, y este sentido que expresan puede ser explicado científicamente, a partir del reconocimiento de su carácter irreductible y del descubrimiento de las leyes que gobiernan su funcionamiento.

Jung pensaba que lo psíquico inexplicado siempre aparece como un desafío intelectual. El auténtico espíritu científico acepta este desafío y se lanza a la aventura de encontrar explicaciones cada vez más abarcativas, más precisas, que ayuden a obtener aproximaciones crecientes a la verdad. Aun cuando esta verdad traiga como consecuencia conmover el edificio de lo conocido y aceptado.

Es aquí donde aparece la esencia renovadora de la enseñanza junguiana, que tal vez no resida tanto en sus formulaciones sobre lo psíquico —de un valor y una riqueza difícilmente cuantificables— como en su perfil ético. Es la posición ética de Jung, ese insobornable espíritu de fidelidad a sí mismo, lo que torna trascendente su obra.

Este es el motivo por el cual proponemos volver a Jung. Volver a sus textos para re-leerlo, para suscitar, para re-suscitar la magnitud de su descubrimiento. Volver a Jung, pero no desde el lugar de la reiteración de un discurso concebido como algo cerrado y acabado. Volver a Jung, pero no a la letra seca de las frases de sus libros, sino al sentido encerrado en su escritura. En fin, volver a Jung para amplificar las ideas que deseó trasmitirnos.

¿Tenemos derecho a emprender esta tarea? Seguramente, porque pensar el discurso junguiano como algo terminado es un contrasentido a la intención constituyente de su elaboración, que es ser un pensamiento siempre abierto a nuevas realidades.

Por lo tanto, el recorrido que vamos a efectuar por Jung no está destinado a mostrar la efectividad de un modelo de análisis de lo psíquico, sino a permitirnos replantear el cuerpo doctrinal de la Psicología Compleja sobre otras bases que ya están presentes en la obra junguiana.

Para esto hay que aceptar que lo dicho por Jung trasciende su propio enunciado, condicionado, en el momento de producirlo, por las limitaciones que le imponían las coordenadas científicas de su época. Es precisamente esta posibilidad de trascenderse lo que hace que el pensamiento atraviese y venza al tiempo.

¿Desde dónde volver a Jung?

La obra de Jung persigue dos finalidades: pensar la variedad de los hechos que componen la vida psíquica como un todo integrado, como un sistema, y comprender este sistema como fruto de un proceso histórico o *ciclo vital*, alimentado por dos vertientes, la transpersonal —inconsciente colectivo— y la personal.

El "todo" que Jung denomina *realidad del alma* funciona como un dinamismo puesto en movimiento por una fuerza que lo lleva hacia una dirección determinada, en fases de progresión y regresión, ascenso y descenso, integración y disociación.

Esta fuerza es la *energía* que empuja el sistema psíquico en un proceso de evolución hacia la meta de autorrealización personal. *Ciclo vital, Realidad del alma, Energía.*

La vida psíquica forma parte para Jung del complejo más genérico de la vida. Este fenómeno, el de la vida, se manifiesta con tres características dominantes.

En primer lugar, si dirigimos la atención a observar las manifestaciones de la vida, no podemos dejar de percibir que aparece, inicialmente, como *multiplicidad*. La vida, en todas sus gamas, más complejas o más simples, conforma un vasto canto a la diferencia, a las combinaciones infinitas e irrepetibles, tanto en lo externo como en lo interno. Ninguna hoja es idéntica a otra del mismo árbol. Y así en todos los planos de la naturaleza.

En segundo lugar, nos encontramos que la vida es también *unidad*. Tras la dispersión de estructuras de organización, late una unidad en el proceso de la vida. La participación de lo múltiple en lo uno, la existencia de una unidad en donde convergen, y desde donde parten, todas las distintas líneas de la vida.

Finalmente, la vida se encuentra movida por el impulso que le da la *energía*, por la pulsión irrefrenable y pujante que insistentemente la hace avanzar por las vías de la complejización y el crecimiento. *Multiplicidad, Unidad, Energía.*

Así como la vida, el alma humana se presenta como lo diverso. Cada ser humano es un universo en sí mismo, distinto y diferenciable de sus semejantes. Sin embargo, todos los hombres comparten un suelo psíquico común, están unidos entre sí por funciones colectivas de la especie, por arcaicos pero eficaces patrones mentales inconscientes. Y todos se nutren del río de la energía que mueve sus actos y sus conductas.

El fondo común de la especie, lo que iguala, recibe en Jung el nombre de *arquetipos*. Este concepto alude a un cierto patrimonio filogenético heredado de la humanidad, fruto de un aprendizaje producido por la vía de experiencias colectivas reiteradas y significativas. De este modo, el hombre incorporó, como esquemas psíquicos inconscientes, los tanteos realizados en su lucha por la supervivencia, el recorrido por el camino de la hominización y las lecciones que organizaron su modo de percibir y ver la realidad.

Sin embargo, cada uno de nosotros, a partir de este terreno común compartido, vamos diferenciándonos en la ontogenia, en el vivir histórico particular que nos toca. Esta diferenciación se produce en el curso de un ciclo vital o tránsito evolutivo que Jung llama *individuación*.

Los *arquetipos* son la materia bruta, las tendencias básicas. El *proceso de individuación* representa, en parte, la tarea laboriosa del escultor que talla la piedra haciendo emerger la figura de la individualidad liberada de las ataduras de la Psique Colectiva. Pero a veces la talla se malogra, como la vida de los hombres.

Si los arquetipos son la historia que preexiste al nacimiento de la historia individual de cada ser humano; si la evolución de la especie es aquello que diferencia al hombre del resto de los otros seres vivos, mediante un progresivo y complejo curso de incorporación arquetípica; si la evolución es también aquello que diferencia, en el acaecer de una vida, a todos los seres humanos, unos de otros, es necesario pensar entonces, merced a qué dinamismos, tanto la fuerza unificadora de los arquetipos, como la diferenciadora de la individuación, ejercen su mandato. Esta fuerza es la que Jung llama *libido* o energía psíquica, que cumple fundamentalmente el rol de poder trasmutador y transformador. *Individuación, Arquetipos, Libido.*

Si miramos ahora la ciencia, vemos que el pensamiento contemporáneo trata los campos particulares de cada disciplina como una totalidad compuesta de los mismos elementos y sujetos a las mismas leyes de conjunto. Introduce de este modo el concepto de *sistema*.

Pero estos sistemas son concebidos no como algo estático y fijo, sino por el contrario, como sujetos a un movimiento de transformación permanente, como una suerte de respuesta a las condiciones cambiantes del medio. Así se incorpora la idea de *evolución*.

Finalmente, la ciencia posee una visión de estos sistemas en transformación como siendo una realidad dinámica, en donde operan o *interactúan* un número de fuerzas de naturaleza energética. *Sistema, Evolución, Interacción*.

Tenemos aquí una respuesta a la pregunta: ¿Desde dónde pensar a Jung?

En la vida encontramos: *Multiplicidad, Unidad, Energía*.
En la ciencia: *Evolución, Sistema, Interacción*.
En el modelo junguiano: *Individuación, Arquetipos, Libido*.

Desde el campo singular de lo Psíquico, Jung plantea este espacio en términos equivalentes a como lo hace el conjunto de la ciencia, y éste podría ser un buen comienzo del trabajo de relectura de su obra, pues su discurso participa y se encuentra atravesado por los mismos problemas y los mismos interrogantes que revolucionaron la investigación científica contemporánea.

Esta razón es suficiente como para servir de cimiento para re-leer a Jung. Sin embargo, representa sólo la justificación de la posibilidad de su texto de servir de enlace entre ámbitos diferentes del quehacer humano. Hay en la obra de Jung otro elemento sustancial que necesita ser rescatado: la dimensión de lo simbólico.

Jung consideraba al psiquismo y sus complejos dinamismos inconscientes como una organización arquetípica, un orden de arquetipos que, en su imposibilidad de aparecer directamente en la conciencia del sujeto, lo hacen por medio de mediadores: los *símbolos*.

Así, los símbolos —más específicamente la actividad simbólica— constituyen el núcleo esencial de la vida del hombre. El hombre se halla poseído por una irresistible pasión por lo simbólico.

Pero no se trata de concebir esta producción simbólica como una actividad rara o pintoresca, sino ver que su accionar está presente en cada segundo y en cada respiración del ser humano. Que por más que retrocedamos en el tiempo o nos adentremos en el espacio, siempre vamos a encontrar algo idéntico: el hombre y sus símbolos. Que el hombre es para él y para sus semejantes, un símbolo. Un portador de significación a descifrar.

¿Cuál es la fuente que alimenta esta vocación por lo simbólico?

¿Cuáles son las matrices desde las cuales engendra sus símbolos?

¿Por qué caminos la multiplicidad de las formas de lo simbólico confluyen en pocas figuras universales?

¿Cuál es el poder que portan los símbolos que los hace eficaces para dar vida, muerte, salud y enfermedad?

A estas preguntas trata de responder Jung en su obra, que no es otra cosa que un variado discurso sobre lo simbólico, y de cómo lo simbólico influye y trastoca la vida del hombre.

Así como los conceptos de *evolución, totalidad* y *energía* afectan al hombre en cuanto *naturaleza*, los *símbolos* y su dinámica nos hablan de su ser *cultural*. El problema del "orden cultural" es el problema de la *condición humana*, y consiste en tratar de descubrir detrás de la diversidad, las leyes comunes que gobiernan a todos los hombres; a remontar la antinomia entre la multiplicidad aparentemente inagotable de formas distintas, y la unidad invariable, a lo largo del tiempo, de la condición humana.

La combinación de la vida con lo simbólico, de la naturaleza con la cultura, de lo arquetípico universal con lo simbólico singular, pareciera ser el legado de Jung. El ser su discurso una respuesta, un testimonio, un documento sobre el hombre, sobre su destino, sus actos, su pasado y sobre la imposibilidad de agotar su comprensión.

Desde este sitio, proponemos leer a Jung.

Capítulo 2
El objeto de la
Psicología Compleja

"No soy un metafísico que tenga algo
que decir sobre las cosas en sí. Mis objetos radican dentro de los límites de lo
experimentable."

C. G. JUNG

¿Cuál es el tema del cual se ocupa la Psicología junguiana?

A esta pregunta pueden darse varias respuestas, todas válidas y justificables desde el texto de Jung. De un modo general, podemos definir el objeto de esta disciplina como la *persona total*, "unidad en permanente devenir que, mediante laboriosas síntesis puede llegar a integrar a lo largo de su ciclo vital, contenidos que incorpora a su psiquismo desde instancias que, a priori, le son inaccesibles, en un proceso de creciente individuación y desarrollo de facultades cada vez más complejas y poderosas que tienden a lograr estados superiores de conciencia" (H. Cervera).

El concepto de *persona total* también puede traducirse bajo la denominación de *realidad del alma*. Este término —muy caro a Jung— delimita un espacio psíquico complejo, autónomo e irreductible, siendo la esencia de su naturaleza el ser un proceso de oposición complementaria.

El principio de oposición complementaria está basado en la idea de que el suceder psíquico en todas sus formas puede ser explicado en relación a una lucha de fuerzas antagónicas, un movimiento dinámico, un continuo enfrentamiento de pares antitéticos. "Todo lo humano es condición de antítesis interna. La energía depende de una antítesis preexistente, sin la cual no podría existir" (C. G. Jung).

Al igual que lo hace Claude Lévi-Strauss con los ordenadores de naturaleza y cultura, Jung considera a esta oposición básica no la descripción de una realidad, sino una manera metodológica de pensar los fenómenos psíquicos. Pero también constituye, sin duda alguna, una premisa teórica de su visión sobre el universo.

De modo tal que, a pesar de ser cierto que la Psicología creada por su pluma trata de los complejos autónomos, de los arquetipos, del Sí Mismo como función integradora general, o del inconsciente colectivo, y que cada uno de estos objetos puede aparecer como el eje central de su desarrollo, sin descuidar esta vertiente, nos parece razonable poner el énfasis en los distintos tipos de antagonismos en los cuales se estructura la vida anímica del hombre, como el campo propio y particular de la reflexión junguiana.

A lo largo de su obra Jung va estableciendo diferentes niveles de oposiciones que pueden ser clasificadas en varios grupos: *energético, dinámico, tópico, estructural, evolutivo, tipológico* y *semiótico*.

Antagonismo energético

Jung consideraba que el espacio de lo psíquico está ocupado por energía y que esta energía surge como fruto de un conflicto de fuerzas situadas en situación antagónica. Estas magnitudes se orientan hacia dos direcciones: la conservación y el cambio.

La *energía de conservación* es la libido puesta al servicio del mantenimiento del estado de cosas tal como se encuentra en el sujeto, la renuncia a la transformación y el crecimiento. Esto tiene una cierta lógica interna, en tanto todo cambio implica una experiencia de dolor, pérdida y abandono de creencias y convicciones, para adaptarnos a una realidad nueva. Jung consideraba que dentro de nosotros opera una fuerza que nos lleva a quedarnos atados al pasado.

Frente a esta fuerza coexiste en nuestro aparato anímico, y en la vida misma, otra *tendencia energética a la mutación*. Aquí la energía actúa como condición de posibilidad de una verdadera evolución de creatividad y productividad. El hombre se encuentra abierto a experimentar lo nuevo, aprender y modificarse, incorporando esquemas y pautas diferentes de las habituales.

Entre ambas tendencias se establece una interacción, un equilibrio del cual dependen en grado sumo los caminos que recorrerá el sujeto en su desarrollo. En este sentido es importante comprender que ambas son necesarias y que forman parte de un mecanismo de *auto-rregulación* de la economía energética, que da cuenta, entre otras cosas, de los desplazamientos libidinales en acontecer simbólico, de la sobre-vivencia de la especie y del avance del hombre hacia su realización.

A este mecanismo de autorregulación Jung también suele denomi-narlo "mecanismo de compensación". Más precisamente, aclara, "a me-dida que mi visión de los procesos psíquicos avanza veo que el proceso de compensaciones es una de las formas de autorregulación del sujeto".

Sin embargo, esta autorregulación no es incierta sino que persi-gue un camino preestablecido. Es como una rueda que avanza o retro-cede, pero que siempre transforma la energía psíquica en acontecer significante (símbolos, signos, etcétera).

Antagonismo dinámico

Si la oposición energética hace hincapié en la "intensidad de los procesos psíquicos" (C. G. Jung), es decir en su aspecto cuantitativo, la dinámica centra su interés en las funciones de progresión y regre-sión, y de disociación y unificación que coexisten en el alma humana.

1. Progresión-regresión

Estos movimientos de energía de la psique son equivalentes, en muchos sentidos, a transformación y conservación, pero se diferen-cian de ellas por el acento que se coloca en este caso sobre las relacio-nes dinámicas que se establecen. Así vistas, progresión y regresión se convierten en funciones psíquicas responsables ambas del trabajo de elaboración de los conflictos que el hombre debe atravesar en el curso de su vida.

La *función progrediente* actúa cuando la energía psíquica avanza hacia la vida de modo creativo y amarrada firmemente a caminos constituyentes del sujeto. El aparato anímico se encuentra viviendo un movimiento armónico y coordinado de realización. Se produce "un avance cotidiano del proceso de adaptación psicológica" acompa-ñado de un profundo "sentimiento vital" (C. G. Jung). La función pro-grediente también significa un movimiento de *ascenso* de lo incons-ciente a la conciencia y luego hacia el mundo exterior; del arquetipo al símbolo; de la indiferenciación a la individuación; del no-yo al yo.

Por su parte la *función regrediente* representa lo contrario: el desgarramiento de la adaptación del sujeto, la desarmonía y el *descenso* desde la conciencia hacia los estratos más profundos del psiquismo.

Si bien es cierto que durante el camino realizante de la libido al símbolo, es decir "durante la progresión de la libido, los pares de opuestos se hallan unidos en el curso coordinado de los procesos psíquicos" (C. G. Jung), también es cierto que no toda regresión debe verse únicamente en su aspecto negativo. En muchas oportunidades, el mecanismo regresivo es un intento de encontrar soluciones mediante recursos superados por el sujeto y que pertenecen a su pasado, ante problemas que no puede enfrentar y resolver con éxito con sus dispositivos adaptativos presentes. Así el sujeto busca lo que pueda darle un sentido a su desorden, conflicto o vivencia, aun a costa de la reactivación de antiguos sistemas infantiles de respuesta.

2. Disociación-integración

En todo ser humano Jung reconoce la presencia de una doble tendencia a la unificación y a la escisión. "La tendencia a dividirse significa que los segmentos de la psique se desprenden de la conciencia en tal medida que no sólo parecen ajenos a ésta sino que llevan una verdadera vida autónoma" (C. G. Jung).

Esta tendencia a la disociación es para Jung imposible de detener y necesaria y da lugar al nacimiento de los complejos autónomos, que sólo se tornan desequilibrantes cuando comienzan a funcionar al margen del resto de los componentes de la estructura del alma.

Pero así como existe esta tendencia a la fragmentación o disgregación también convive dentro del sujeto la tendencia a la unificación o potencialidad de totalidad. El hombre aspira a la unidad, del mismo modo que no puede verse libre de los procesos de separación que se operan en la dinámica de su acaecer anímico.

Conviene insistir en los aspectos positivos de la función disociadora. Por una parte posibilita la canalización de energía hacia destinos específicos y al mismo tiempo permite, mediante la diferenciación, establecer nuevas bases de integración a niveles de mayor complejidad. Sin embargo, cuando los contenidos segregados se aíslan del conjunto formando núcleos encapsulados, nos encontramos frente a una condición patológica de funcionamiento que es necesario modificar.

Antagonismo tópico

Este antagonismo se refiere esencialmente a una doble posición que Jung reconoció como fundante de su sistema: por una parte la existente entre consciente e inconsciente y por otra entre individual y colectivo.

1. Consciente-Inconsciente

Esta polaridad entre conciencia e inconsciente como espacios psíquicos opuestos y complementarios es el punto de partida de toda la Psicología Profunda y fue tomada por Jung de la obra de S. Freud, si bien sus desarrollos lo llevaron a conceptualizar estos espacios de modo diferente.

Por *conciencia* Jung entendía "la referencia al yo de los contenidos psíquicos en cuanto es percibida por el yo como tal". En este sentido, la conciencia es tanto una modalidad como una cualidad de lo psíquico. En tanto modalidad implica una función o actividad que mantiene la relación e interacción entre los contenidos psíquicos y el yo. En tanto cualidad muestra una posibilidad de las representaciones anímicas de hacerse perceptibles para el yo.

Jung no atribuía al concepto de conciencia ninguna caracterización filosófica, sino que circunscribía su alcance al estricto terreno psicológico. En este sitio la conciencia actúa como polo o centro unificador del sistema consciente que incluye no sólo lo actualmente consciente como hechos de conciencia, sino también todo aquello que de acuerdo con su naturaleza está en condiciones de serlo.

El modo de ser consciente está caracterizado por ser de extrema fragilidad, ser punto de partida de todos los análisis racionales del sujeto y por contener las actitudes con las cuales el hombre enfrenta al mundo exterior.

Frente a la conciencia y en oposición se levanta el mundo de lo *inconsciente*.

"A mi juicio el inconsciente es un concepto límite psicológico en el que se incluyen todos aquellos contenidos o procesos psíquicos que no son conscientes, es decir que no están de modo perceptible referidos al yo" (C. G. Jung). Pero a pesar de esto y justamente por esto es que el inconsciente posee la condición de ser eficaz determinante de la conducta del hombre.

Jung diferenciaba dentro del espacio de lo inconsciente dos niveles: uno referido a las representaciones psíquicas inconscientes que pertenecen a la historia ontogenética de cada sujeto, y otro, al patrimonio colectivo arquetípico.

La conciencia y lo inconsciente guardan entre sí una relación de oposición que Jung caracteriza como *compensatoria*. "Por lo regular la compensación maniobrada por el inconsciente no constituye un contraste sino un equilibrio o complemento de la orientación consciente. Así por ejemplo, el inconsciente da en sueños todos aquellos contenidos que, alineándose dentro de la situación consciente, son refrendados por la selección consciente. [...] La relación que se establece entre los procesos inconscientes y la conciencia ha de considerarse como algo de índole compensadora al hacer aflorar del proceso inconsciente el material subliminal que corresponde a la situación consciente, es decir, todos aquellos contenidos, que si todo fuera consciente, no podrían faltar en el cuadro de la situación consciente" (C. G. Jung).

2. Individual y colectivo

Lo colectivo, como concepto, alude a todos los contenidos psíquicos "que no son algo propio de un solo individuo, sino de muchos individuos al mismo tiempo, es decir de una sociedad, de un pueblo, de la humanidad" (C. G. Jung).

Estos contenidos pueden ser sentimientos, representaciones, concepciones, modos de ver el mundo y experiencia acumulada en términos de memoria de la especie. Pero además también pueden ser colectivas las funciones de la psique. Así la función de intercambio y reciprocidad, cuyo corolario es la exogamia como ley sobre la cual se asientan las reglas matrimoniales, es de naturaleza colectiva.

Por su parte lo individual es todo aquello que escapa al ámbito de lo colectivo, "es decir, lo que sólo a uno corresponde y no a un grupo" (C. G. Jung).

Los vínculos que unen y oponen lo individual y lo colectivo constituyen un punto de particular importancia en la obra de Jung, porque por una parte nos enfrenta con las sobredeterminaciones de lo general sobre lo particular y por otro con las amarras a la psique colectiva que debe vencer el sujeto en su proceso de individuación.

Nos parece importante destacar que la singularidad de lo individual coexiste y presupone la presencia de relaciones colectivas y aun más, que lo particular no debe significar aislamiento sino un modo de funcionamiento de la conexión colectiva permanente. En este sentido, es posible pensar este par antagónico como dos modos de acceso al conocimiento que el hombre tiene a su disposición y que en su diferencia se complementan.

Antagonismo estructural

Para Jung el psiquismo es una estructura integrada por funciones antagónicas. Estas funciones componen las distintas instancias de las cuales se vale el hombre para cumplir con los requerimientos de descarga y anticipación que le impone la doble dirección energética de la libido. Es conveniente diferenciar la oposición Yo/No-Yo y la que actúa en el campo de pares funcionales arquetípicos. En esta dirección el Yo podría definirse como el centro de la zona consciente del sujeto, mientras que el No-Yo ocuparía un lugar equivalente como centro profundo de la psique inconsciente. Algo así como una función de organización e intencionalidad que opera regulando el universo transpersonal y arquetípico del hombre.

En otro nivel los complejos permanentes de la estructura psíquica (personalidades colectivas) establecen polaridades en su trabajo anímico.

Así, por ejemplo, el complejo funcional de la persona o máscara constituye una disposición externa opuesta al ánima que representa a la interna.

Este antagonismo estructural, que es un modo de trabajo del aparato psíquico, no hace otra cosa que poner en evidencia, una vez más, la importancia significativa del principio de los opuestos como centro de interés de toda la Psicología junguiana.

Antagonismo evolutivo

Jung concibe el devenir del individuo como un proceso de reestructuración continua y progresiva que puede ser conceptualizado como *ciclo vital*.

La dirección de este proceso es el logro de autonomía, libertad y diferenciación crecientes en el sujeto. Sin embargo, para alcanzar esta meta se debe vencer la tendencia antagónica hacia la primitivización que impone el psiquismo colectivo.

1. El proceso de la individuación

Para Jung la individuación es un proceso de naturaleza histórica que consiste básicamente en la "constitución y particularización de la esencia individual" que implica la plena diferenciación del sujeto de la psiquis colectiva.

Sin embargo, Jung considera que desde "el momento en que el individuo no sólo es un ser singular sino que se presuponen en su existencia relaciones colectivas, el proceso de la individuación no lleva al aislamiento sino a una más intensa y general conexión colectiva".

Correlativamente la individuación conduce al ensanchamiento de la conciencia y de la vida psicológica consciente.

Esta doble coordenada pone en evidencia el carácter particular de la individuación: empuja al sujeto a la trascendencia en un nuevo nivel de comunicación transpersonal de la conciencia como un grado creciente de diferenciación.

Por individuación —ontológicamente hablando— se entiende el carácter de una cosa que es una, indivisible y no reducible a otros elementos de la clase a la que pertenece. Su meta es la unicidad del individuo y Jung interpretaba esta postulación filosófica bajo la convicción de que el hombre para alcanzar el pleno desarrollo de su ser debe estar dispuesto a desplegar todas las virtualidades y potencialidades que moran y duermen dentro de él, y desplegarlas en una armoniosa unión.

Es importante en este tema considerar que para Jung la fuerza motivadora de la individuación no nace o procede sólo de la actividad inconsciente, sino que necesita la participación de la actitud consciente.

"En calidad de tal, la individuación es, por excelencia, una confrontación entre la conciencia y lo inconsciente."

La condición de trabajo de este proceso radica en el principio de autorregulación de la psiquis que asegura un tránsito, en este camino, de alguna manera preestablecido de acuerdo con un orden dinámico, que comienza usualmente por la entrada en contacto, diálogo y enfrentamiento con la sombra, la parte más oscura y rechazada de cada uno de nosotros.

Pero así como existe esta dirección que implica la liberación del individuo de la determinación de la psiquis colectiva, late dentro del hombre una fuerza igualmente pareja de sentido inverso. El núcleo central de la fuerza que intenta mantener al sujeto atado a la naturaleza primitiva puede conceptualizarse, en Jung, bajo la forma del arquetipo edípico.

Este arquetipo —que más precisamente deberíamos llamar del incesto— expresa simbólicamente que las energías del sujeto se retrotraen hacia el vientre de la madre, la naturaleza, lo inconsciente, desde donde vuelve a emerger, generalmente, con nueva fuerza.

2. Individuación y Karma

El objetivo de la individuación es alcanzar la integración de las potencialidades y funciones del sujeto en una totalidad armónica y completa.

Esta completud y autorrealización implican el logro de un aprendizaje de vida: la perfección, la sabiduría, el amor, la unidad.

De modo tal que, en la medida en que no se aprende, el sujeto continúa este proceso a lo largo de una cadena de encarnaciones.

Cada encarnación representa una nueva posibilidad de avanzar en el camino hacia la perfección.

Esta dinámica está simbolizada por el concepto de *samsâra* o rueda de las reencarnaciones. El hombre está prisionero en un círculo que lo obliga a reiteradas muertes y nacimientos en la medida en que no logre alcanzar el estado de plenitud.

Puntualizada la cuestión de este modo, la individuación como camino a la completud es un camino de salvación en tanto aleja al hombre de condicionamientos y determinaciones. Se trata de un proceso de *liberación*.

El hombre es salvo en la medida en que se libera de la carga de su pasado que se acumula sobre él como una nube que le impide ver la luz en toda su pureza. La salvación es libertad y la libertad es salvación, no sólo porque el hombre logra salir de la repetición de la rueda del samsâra, sino también porque alcanza la libertad y la unión con el todo.

Del mismo modo la individuación es salvación y la salvación es individuación. El plenario del espíritu obtenido en la individuación equivale a la libertad, al haber quedado fuera de la ley del *karma*.

El *karma* es la carga ontológica de la acción. El hombre está gobernado por una fuerza que lo compele a hacer, a realizar pero esencialmente a llevar a cabo un aprendizaje. El *camino del karma* es el camino del ser hacia la liberación, que no puede evadirse ni evitarse, sino por la experiencia de transformación radical que significa haber traspuesto los umbrales de la completud.

Jorge Luis Borges, en su libro *Qué es el Budismo**, con el vuelo que su pluma solía dar a las palabras, define el *karma* de este modo:

"Hemos dicho que cada encarnación determina la subsiguiente; esta determinación constituye lo que las escuelas filosóficas de la India llaman el *karma*. La palabra es sánscrita y deriva de la raíz *kri* que significa 'hacer' o 'crear'. El *karma* es la obra que incesantemente estamos urdiendo; todos los actos, todas las palabras, todos los pensamientos —quizá todos los sueños— producen, cuando el hombre muere, otro cuerpo (de dios, de hombre, de animal, de ángel, de demonio, de réprobo) y otro destino. Si el hombre muere con anhelo de vida en su corazón, vuelve a encarnar; es como si, al morir, plantara una semilla.

Radhakrishnan ha definido el *karma* como la ley de la conservación de la energía moral. También podemos considerarlo una interpretación ética de la ley de causalidad; en cada ciclo del universo, las cosas son obra de los actos humanos, que crean montañas, ríos, llanuras, ciénagas, bosques. Si los árboles dan fruto o si el trigo crece en los campos, los impulsa el mérito de los hombres. Según esta doctrina, la geografía es una proyección de la ética.

El *karma* obra de un modo impersonal. No hay una divinidad de tipo jurídico que distribuye castigos y recompensas; cada acto lleva en sí el germen de una recompensa o de un castigo que pueden no ocurrir inmediatamente, pero que son fatales. Christmas Humphreys escribe: 'Al pecador no lo castigan por sus pecados; éstos lo castigan. Por consiguiente no existe el perdón y nadie puede otorgarlo.' Por el mero hecho de ser un sustantivo, la palabra *karma* sugiere una entidad autónoma; conviene recordar que sólo es una propiedad de los actos, que —según la índole de éstos— inevitablemente producen consecuencias adversas o felices. *Karma* es la ley del universo, pero no ha sido promulgada por un legislador ni la aplica un juez. Su operación es inexorable; en el *Dhammapada* se lee: 'Ni en el cielo, ni en mitad del mar, ni en las grietas

---

* Jorge L. Borges y Alicia Jurado, *Qué es el budismo*, Emecé Ed., Bs. As., 1991, pp. 69 a 71.

más hondas de las montañas, hay un sitio en que el hombre pueda librarse de una acción malvada'.

Karma es el nombre general de la ley, pero es también lo que los teósofos llaman el *cuerpo kármico*, es decir el organismo o estructura psíquica que los méritos y deméritos del hombre tejen durante su vida y que, después de la muerte, crean otro cuerpo que se desempeñará en otras circunstancias."

Antagonismo tipológico

Jung ratifica una vez más, en este punto, su convicción de la acción en el psiquismo de la ley de oposición complementaria.

Partiendo de considerar los *tipos* como modelos que reflejan el carácter de una especie, pensaba los tipos psíquicos como disposiciones habituales que de modo general se observan en las formas individuales.

Todo tipo estaría caracterizado por dos factores: el predominio de una función sobre las otras y una correlativa reacción específica del sujeto a motivos internos y externos. Por otra parte, cabría agregar un tercer rasgo ligado a la compensación existente entre los tipos, de modo tal que lo manifiesto tendría en lo latente su opuesto.

La respuesta a motivos internos o externos, que puede predominar en un sujeto, está determinada por un factor reactivo que Jung divide en introvertido y extravertido. Funciones dominantes, factor reactivo y compensación son los tres ingredientes básicos del antagonismo tipológico.

1. Funciones básicas de la psique

Pensar, sentir, percibir e *intuir* son las cuatro funciones básicas de la psique para Jung. Por función, Jung entendía "una actividad psíquica determinada que, en circunstancias distintas, permanece, en principio, idéntica a sí misma. Considerada energéticamente es la función una forma de apariencia de la libido [...]".

Estas cuatro funciones se agrupan en dos pares: las funciones racionales (pensar y sentir) y las funciones irracionales (percibir e intuir).

Pensar y sentir son colocadas dentro del primer grupo, en tanto Jung considera que implican una actitud deliberada por parte del sujeto hacia el objeto. "Al pensar, el sujeto interpreta; al sentir, juzga". Por el contrario, en la intuición y la percepción el objeto se impone al sujeto. Jacobi señala que:

"Pensar es aquella función que, mediante una labor mental, a saber, del conocimiento —es decir, de relaciones conceptuales y conclusiones lógicas—, trata de llegar a una comprensión del mundo y a una adaptación a él. Al contrario que el pensamiento, la función del sentimiento capta el mundo a base de una valoración por los conceptos 'agradable o desagradable, o bien aceptación o repulsa'. Ambas funciones son designadas como *racionales*, porque las dos trabajan con *valoraciones*. El pensamiento valora por mediación del conocimiento del punto de vista 'verdadero-falso'; el sentimiento por medio de las emociones del punto de vista 'placer-displacer'. Estas dos actitudes básicas se excluyen una a otra en cuanto formas de conducta; o predomina la una o la otra. No es preciso que indiquemos que, por ejemplo, un 'político de sentimientos' quiere decir precisamente que éste toma sus decisiones llevado por sus sentimientos y no por sus conocimientos.

Las otras dos funciones, percepción e intuición, las llama Jung funciones *irracionales*, porque éstas trabajan, eludiendo la 'ratio', no con juicios, sino con unas percepciones sin valoración o prestación de sentido. La sensación percibe las cosas tal como son y no de otra forma. Es el sentido de la realidad por excelencia, aquello que los franceses llaman 'fonction du réel'. La intuición también percibe, pero menos por medio del aparato sensorial consciente que mediante la capacidad de una 'percepción interna' inconsciente de las posibilidades que existen en las cosas. El tipo sensitivo, por ejemplo, percibirá un acontecimiento histórico en todos sus detalles, pero se le escaparán las relaciones que lo determinan; el intuitivo, por el contrario, no prestará atención a los detalles, pero percibirá sin esfuerzo el sentido interno del acontecer, todas sus posibles relaciones y repercusiones. O en otro ejemplo: el tipo sensitivo, ante la vista de un bello y floreciente paisaje primaveral contemplará y se percatará en todos sus detalles de las flores, los árboles, los colores del cielo, etc.; el intuitivo, por el contraio, observará sencillamente el ambiente y el colorido total. Es evidente que esta pareja de funciones están en la misma oposición o bien se excluyen una a otra como el pensamiento y el sentimiento."

2. Tipos psíquicos

La libido "no sólo avanza y retrocede sino también sale y entra" (Jung). De este modo una regresión de la libido puede orientarse tanto hacia el mundo interior como hacia los objetos. De la misma manera ocurre en la progresión libidinal.

Esto determina dos orientaciones que Jung denomina *introversión y extraversión*.

Todos los seres humanos participan de esta doble dirección de la energía psíquica y según el predominio habitual resulta la caracterización tipológica. Así la tendencia de la personalidad a concentrarse en los objetos demostraría una orientación extravertida. Sin embargo, no se trata de actividad exclusiva sino que existen en todo sujeto partes de extraversión y de introversión.

Jacobi resume la cuestión del siguiente modo:

"Jung diferencia dos formas de posición: la extraversión y la introversión. Significan una conducta que condiciona esencialmente todos los procesos psíquicos, a saber: el *hábito de reacción*, con lo que el modo de obrar, la experiencia subjetiva y hasta el modo de compensación está determinado por el inconsciente. Jung llama a este hábito estación conmutadora central, la cual regula, por una parte, el obrar externo, y por otra, conforma la experiencia específica. La extraversión se caracteriza por una relación más bien negativa. El extravertido se orienta en su forma de adaptación y reacción más hacia normas externas de valor colectivo, hacia el respectivo espíritu de la época, etc. El introvertido, por el contrario, está determinado en su conducta por factores predominantemente subjetivos. De aquí su a menudo pésima adaptación al mundo exterior. El que tiene una postura extravertida 'piensa, siente y obra en relación al objeto'; traslada su interés del sujeto al objeto, se orienta preferentemente hacia fuera. En el introvertido, es el sujeto el punto de partida de su orientación, y el objeto tiene un valor a lo sumo secundario, mediato. Este tipo de hombre se repliega inmediatamente en una situación dada, 'como si dijera un no imperceptible', y sólo después de este replegarse tiene lugar la reacción propiamente dicha. Mientras que el tipo funcional nos da el modo de captación y formación específica del material vivencial, el tipo posicional caracteriza la introversión y la extraversión, la actitud psicológica general, es decir, la dirección de la energía psíquica general, y Jung entiende por tal la libido. El tipo posicional está arraigado en nuestra estructura biológica y está determinado desde el nacimiento mucho más claramente que el tipo funcional. Pues aunque la elección de la función principal está condicionada, en general, por una cierta inclinación constitucional a la diferenciación de una determinada función, puede ésta transformarse considerablemente, e incluso ser reprimida por un esfuerzo consciente. Por el contrario, el cambio del tipo posicional sólo puede provocar una 'reconstrucción interna', una modificación en la estructura de la psique, originada o por una transformación espontánea (en este caso a su vez condicionada biológicamente) o por un proceso evolutivo psíquico trabajoso, como, por ejemplo, por un 'análisis'. De aquí que la diferenciación de una segunda y tercera función, es decir, de las otras dos funciones auxiliares, es en proporción más fácil que la de la cuarta función inferior, pues ésta no sólo está a una mayor distancia y en la más aguda oposición con la función principal, sino que coincide también con la forma de posición todavía inanimada, oculta, es decir, indiferenciada. A causa de esta contaminación, la introversión, por ejemplo, del tipo mental extravertido, no va acompañada de la intuición o de la percepción, sino en primera línea del sentimiento, etcétera."

3. Autorregulación y compensación

Tanto las funciones como los tipos se comportan entre sí de un modo compensatorio. Así, por ejemplo, el pensamiento se desarrolla a expensas del sentimiento, la extraversión de la introversión.

Esta vinculación, que no puede concebirse de un modo sencillo o simple, sino como una compleja red de mutuas interacciones, tiene como finalidad establecer un equilibrio regulador entre los distintos componentes que integran al ser humano.

Al unir los tipos y las funciones queda establecida una clasificación tipológica que reviste una posibilidad de combinaciones que abarcarían, para Jung, la totalidad de posibilidades genéricas de la diversidad caracterial.

Antagonismo semiótico

Hemos señalado ya que la obra de Jung puede ser considerada como una reflexión sobre lo simbólico. El símbolo es considerado por Jung como la mejor formulación posible de una realidad que nos es desconocida y reviste una serie de características particulares, como su valor polisémico y su permanente imposibilidad de definición o codificación.

Pero, por otra parte, el símbolo es aquello que expresa y se opone al arquetipo en la misma relación que la causalidad se opone a la sincronicidad como modos de enlace de los hechos psíquicos. De modo tal que la capacidad semiótica del ser humano está regida por esta doble oposición: símbolo-arquetipo y causalidad-sincronicidad.

1. Símbolo y arquetipo

En la estructura heredada de la psique acontecen una serie de procesos organizados bajo la estructura de esquemas a priori, que canalizan la circulación energética y configuran las posibilidades de captación y expresión del sujeto. Estos procesos aparecen bajo la forma de temas arquetípicos universales y fueron incorporados a la psique colectiva por experiencias reiteradas, colectivas y significativas de la humanidad. En este sentido, los arquetipos pueden ser considerados como tendencias, potencialidades de realización que adquieren su plena significación cuando se expresan en la realidad del mundo perceptible.

Los arquetipos representan el pasado, lo heredado, la historia y también lo colectivo. Pertenecen, por su naturaleza, al orden de lo real; es decir, a ese orden de cosas que no pueden acceder a nuestro conocimiento directo más que por medio de sus efectos.

Por su parte, los símbolos representan la cultura, lo adquirido, lo individual y se realizan en la realidad de la conciencia y del conocimiento. Del mismo modo que los arquetipos representan la dinámica del inconsciente, los símbolos son los referentes de la conciencia.

Existe entre ellos una relación de oposición. Los arquetipos son la fuerza que intenta el retorno a la naturaleza, que manifiesta la voluntad de borrar las diferencias. Por su parte, el símbolo es la actividad que construye y ejemplifica la individualidad del sujeto. Así diferenciación, individuo, conciencia y símbolo conforman un polo dinámico que actúa antagónicamente con las funciones arquetípicas de lo colectivo e inconsciente.

2. Causalidad y sincronicidad

Jung consideraba que los hechos podían establecer vínculos entre sí por medio de dos tipos de operaciones: causales y a-causales.

La causalidad se establece por un nexo temporal en donde la causa siempre antecede al efecto. Por el contrario, las relaciones acausales, de las cuales la sincronicidad sería una de sus formas de aparición, se producen en una coincidencia temporal significativa sin que exista o medie entre ellas causalidad alguna.

Podríamos representar la causalidad como un eje de sucesiones y la sincronicidad como un campo de simultaneidades. Sin embargo, cada uno de los hechos que se asocian en el campo sincronístico posee en sí mismo una causalidad *particular* e independiente de su ligazón a-causal. De este modo resulta oportuno definir la *sincronicidad* como *la asociación en un mismo campo de significaciones de múltiples ejes causales.*

Estos dos modos de funcionamiento representan dos formas o leyes de trabajo de todo el universo. Existe, por lo tanto, una matriz causal y una matriz sincronística como pura posibilidad de establecimiento de relaciones entre las cosas. Estas matrices tienen un carácter arquetípico en el sentido de esquemas apriori del conocimiento y mantendrían entre sí un antagonismo dinámico y complementario.

Pero además de la matriz existen los hechos o fenómenos causales y sincronísticos. Estos se manifiestan más allá que el sujeto tenga conciencia de ellos. La gravedad existía antes de su descubrimiento. De modo tal que es necesario distinguir un orden matricial, un orden de fenómenos y finalmente una conciencia o un modo de conciencia causal o sincronística. Esta conciencia es un modo de percepción y lectura de los fenómenos, una manera como son registrados y tratados por el sujeto.

Más allá de su producción real el hombre les adjudica una atribución significativa que les da cuerpo y existencia. Y esto nos lleva directamente a la cuestión semiótica de la sincronicidad.

3. La cuestión de la sincronicidad

Por sincronicidad debemos entender "la coincidencia cronológica de dos o más acontecimientos que no están relacionados entre sí por un nexo causal y cuyos contenidos, por lo que respecta a significados, son iguales o similares" (C. G. Jung).

Así definida, la ley de sincronicidad queda ligada a la función semiótica como un efecto de significante, en tanto supone la aparición de términos discretos en una cadena significativa que nos hablan de un orden de significación inconsciente.

Pero además, esto que aparece como efecto combinatorio de significantes, en la sincronía de una captación de la conciencia del sujeto, está comandado desde la instancia arquetípica, que dirige el proceso de advenimiento de los fenómenos de sincronicidad.

Lo advenido no es el resultado de una causa material o eficiente, sino del acontecer de la pura lógica del inconsciente.

Conviene recordar que lo inconsciente opera bajo un principio que salta la causalidad, la temporalidad y la espacialidad, para funcionar según otro esquema dinámico de acción.

Este planteo implica la afirmación de un principio acausal de los hechos para poder explicar un campo de emergencia de fenómenos donde no puede existir una relación causa-efecto, "sino una cierta coincidencia temporal, una especie de simultaneidad" (C. G. Jung).

En virtud de esta cualidad de simultaneidad es que Jung elige el término de sincronicidad para designar "un hipotético factor explicativo que se opone con igualdad de derechos a la causalidad" y que concibe como una "relatividad del tiempo y el espacio, psíquicamente condicionada".

Jung, en su libro *Sincronicidad*, cita dos ejemplos sobre los cuales vale la pena volver.

"Una señora joven a la que estaba tratando tuvo, en un momento crítico, un sueño en el que le daban un escarabajo dorado. Mientras me contaba el sueño, me senté de espaldas a la ventana, que estaba cerrada. De pronto oí un ruido detrás de mí, como un ligero golpeteo. Me di la vuelta y vi un insecto que golpeaba contra el cristal por la parte exterior. Abrí la ventana y cogí al animalito en el aire al entrar. Era lo más parecido al escarabajo dorado que se encuentra en nuestras latitudes: un escarabajo escarabeido, la centonia dorada común (Centonia aurata), que, en contra de sus costumbres habituales, había sentido, sin duda, la necesidad de entrar en una habitación oscura en aquel preciso momento. He de admitir que no me había sucedido nada parecido ni antes ni después y que el sueño de la paciente ha permanecido como algo único en mi experiencia.

Me gustaría citar otro caso que es típico de una gama de sucesos. La esposa de uno de mis pacientes, ya cincuentón, me contó una vez que, a la muerte de su madre y de su abuela, se reunió una banda de pájaros por fuera de las ventanas de la cámara mortuoria. Yo había oído ya a otras personas historias similares. Cuando el tratamiento de su marido estaba tocando a su fin, por estar curado de su neurosis, le aparecieron unos síntomas, aparentemente inocuos, que, sin embargo, me parecieron típicos de una enfermedad de corazón. Lo mandé a un especialista que, después de examinarlo, me confirmó por escrito que no encontraba ningún motivo de alarma. Al volver de la consulta, con el informe médico en su bolsillo, mi paciente sufrió un colapso en la calle. Cuando lo llevaban moribundo a casa, su mujer se encontraba ya angustiada porque, poco después de que su marido se fuera al médico, una bandada de pájaros se posó en su casa. Ella, lógicamente, recordó lo que había sucedido a la muerte de sus propios parientes, y temió lo peor."

En estos casos no hay conexión causal que explique las coincidencias. La lógica de la conciencia falla y se debe recurrir a otro principio, el acausal-sincronístico, para poder dar cuenta de la realidad compleja de los hechos. La *acausalidad* no significa falta de orden, sino un orden diferente. Y el regulador de este orden acausal es la red arquetípica.

Esto implica sostener que más allá de la psique donde rigen las conexiones causales, existe una realidad transpersonal ajena a las leyes de la témporo-espacialidad. De tal modo que la validez del principio de causalidad que se sostiene sobre las categorías objetivas de tiempo, espacio y causa se derrumba y pierde su aplicación universal.

Ciertos *fenómenos* energéticos ocurren como si prescindieran del espacio y el tiempo como estructurantes de su realidad y en cambio fueran guiados por la ley de la sincronicidad. El arquetipo sería aquí un regulador de los sucesos acausales, tan típicos, por ejemplo, en los tratamientos florales.

En tanto disposición a entender, el arquetipo brinda la posibilidad de que determinados hechos adquieran significación bajo el carácter de símbolos. Así la sincronicidad y los arquetipos son dos puntos de referencia esenciales para la comprensión de una teoría de estos fenómenos, según el modelo junguiano.

Pero, además, si decimos que el arquetipo juega un papel regulador y es una forma pura, podríamos afirmar, también, que el arquetipo es, justamente, esa forma relacional que busca realizarse y que, como forma, modela los aconteceres del sujeto. Es decir, una red inconsciente constituyente, articuladora, formadora de los fenómenos en sí; un orden real que organiza el orden de lo conocido.

En resumen:

• El Principio de Sincronicidad puede verse como una combinatoria de significantes diferentes relacionados por una significación común.

• La Sincronicidad, en tanto organizadora de las impresiones de la vida, va más allá de lo energético y lo causal.

• La Sincronicidad es un orden de organización de la vida.

4. La fuerza de la Naturaleza y la Psique

En base a estas propuestas deseamos introducir otra articulación en torno a las "fuerzas" de la Naturaleza y de la Psique, en su vinculación con la sincronicidad.

Hasta hace poco tiempo las fuerzas que operaban en la naturaleza y a las cuales, por lo tanto, también se sometía la psique, eran la causal y la energética.

Todos los modelos psicológicos se basaban de alguna manera en una de estas leyes o en la combinación de ambas. Si bien es cierto que todos los cuerpos están sometidos a la ley causal de la gravedad, sólo las partículas cargadas lo están a la fuerza energética. Pero junto a estas fuerzas fueron descubiertas en la Física dos tipos más, llamadas: *nuclear fuerte* (que liga los protones y los neutrones en el interior del núcleo atómico) y *nuclear débil* (responsable de ciertos tipos de desintegraciones radiactivas). Estas dos fuerzas se plantean como necesarias porque según el principio de vista clásico, todos los objetos —hasta las menores partículas elementales— actúan como balas sometidas a la acción de una o varias fuerzas fundamentales, principio que funciona y opera adecuadamente en los fenómenos de gran escala, pero falla totalmente —como demostró Einstein— en aquellos acontecimientos de escala atómica. De ahí la necesidad de introducir estos nuevos principios explicativos de fuerzas que operan en la naturaleza.

Si tomamos la consideración de Jung de que las mismas fuerzas que operan en la naturaleza están funcionando en el psiquismo, deberíamos poder introducir en sus planteamientos estas consideraciones acerca de las nuevas fuerzas.

No nos cabe duda de que esto es posible y que estas leyes explicativas aclararían adecuadamente el funcionamiento del mecanismo de la *Ley de Compensación de lo Psíquico*, en una escala que anteriormente no podía efectuarse.

Lo que no nos parece factible es la aplicación de estos dos nuevos principios de fuerzas a la Ley de Sincronicidad. Jung postula que el principio de Sincronicidad es a-causal y a-energético. Que produzca efectos causales y energéticos como repercusión de su acción es otra cuestión; pero su gestión y naturaleza es ésa, el ser a-causal y a-energético. Entonces, ¿cómo se armonizaría esta concepción de la Ley de Sincronicidad con esa relación tan importante para Jung que es la existente entre macro y microcosmos?

Nos parece adecuado recurrir a la existencia de una fuerza, no energía, sino fuerza, que explicaría los procesos que acontecen cuando interviene la Ley de Sincronicidad. Una fuerza absolutamente humana, cultural, simbólica, *la fuerza del efecto significante del lenguaje.*

Los hechos entre sí no tienen otra conexión más que la que le brinda la energía de la fuerza nuclear fuerte, la energía de reunión de las partículas atómicas alrededor de un núcleo. Pero esto aún no es la Sincronicidad como ley que se impone al sujeto, en el sentido de que éste percibe relaciones significativas que se le brindan a sus ojos en simultaneidad. "El factor decisivo radica en una simultaneidad que *es experimentada subjetivamente*" (C. G. Jung). Pero ¿qué cosa hace en el sujeto, qué cosa le otorga la posibilidad al sujeto, de alcanzar esta experiencia subjetiva? Porque los hechos en sí están a la mano, se encuentran arrojados sobre el tablero del mundo y necesitan de la acción de un *algo,* de una fuerza que los coloque en esta posición privilegiada de Sincronicidad.

Dicho de otra manera: el principio causal, el principio energético y el principio significante son principios ordenadores de la experiencia humana. Pero la ley de Sincronicidad sólo puede ser aplicada a la luz de este principio a-causal y a-energético que es el principio significante. Un principio según el cual los hechos no se ven como causados sino relacionados en una cadena de conexión de significados.

Todo esto puede ser comprendido con claridad en relación a la oportunidad en que tienen lugar los fenómenos sincronísticos.

Jung sostiene que estos fenómenos sometidos a la Ley de Sincronicidad se producen cuando el sujeto se encuentra en una situación arquetípica, en una mayor armonía con los contenidos inconscientes, mayoritariamente dominado por esta fuerza irreductible de las imágenes arcaicas.

Esto significaría, entre otras cosas, que a menor represión mayor posibilidad de emergencia de fenómenos sincronísticos.

Otro factor coadyuvante son las situaciones límites, que predisponen a la captación de hechos en una serie significativa.

¿Qué es una situación límite? No es sólo la muerte, la locura, la agonía, el éxtasis, etcétera. Más bien creemos que toda situación que implica un cierto cambio, un cierto dinamismo, una cierta reestructuración del psiquismo del sujeto —cambio que puede operar más allá de la conciencia del sujeto— es una situación límite. Los límites no se refieren a una situación externa, que también cuenta, sino esencialmente a los *bordes* por donde el psiquismo construye su vida. Detrás de todo esto lo arquetípico aparece como el verdadero regulador del advenimiento de un fenómeno sincronístico, aquel que traza las líneas de este borde.

5. El accionar transgresivo del arquetipo

Hemos planteado cómo, según Jung, se establece una suerte de necesaria recurrencia entre los fenómenos del Universo. Lo que acontece en la microfísica y en la naturaleza sucede en correspondencia complementaria en el psiquismo y en la cultura.

Pero ambos campos mantienen entre sí una saludable distancia operativa, que no impide a Jung plantear que la energía física y la energía psíquica, aunque diferentes, pueden resultar aspectos de lo mismo; en donde el mundo de la materia sería como una suerte de imagen especular del universo de lo psíquico y el mundo de lo psíquico una imagen del mundo de lo físico. Imagen especular, simétrica, pero invertida.

Bajo esta idea se explica, para Jung, la sincronicidad como la combinación de acontecimientos ordenados de acuerdo con un sentido simbólico. La vinculación o relación entre acontecimientos no está basada en ningún principio de causa-efecto, sino en una aparición en simultaneidad a-causal y en una identidad de sentido con relación al sujeto que lo vivencia y sostiene como tal. Y tales acontecimientos se ligan, acaecen sobre todo en situaciones en las que el sujeto está especialmente activado por la acción de un arquetipo en su inconsciente. Según sea el arquetipo, suponemos distintas presentaciones o anudamientos.

En ese momento es cuando el arquetipo constituido, engendrado como una realidad representada en términos de significantes, aparece con fuerza numinosa en la psique, bajo la vivencia de la sorpresa, de lo desconocido-conocido que nos asombra. Pero también como fuera de la psique, retornando desde el mundo exterior como sincronicidad. Decimos retornando porque se trata de algo que ya estaba funcionando como excluido para el sujeto y que éste recupera simbólicamente en el *encuentro sincronístico*.

Esta situación revelaría, como explica Jung en su texto *Interpretación de la Naturaleza y la Psique*, el accionar transgresivo del arquetipo.

A partir de la crítica al principio de causalidad, como principio de validez absoluta, y la inclusión del principio de ordenamiento a-causal, remarcamos el concepto de *ordenamiento*. Dado que el principio a-causal no significa desorden, sino un orden diferente, regido por la ley del significante. Ley que establece como función simbólica la de significar; donde significar es atribuir un sentido, recortar una significación, pero donde nunca implica la captura del significado, dada la posibilidad polisémica del lenguaje y la dotación imaginaria del sentido. Este ordenamiento acausal de la psique revela el accionar de las estructuras arquetípicas del inconsciente colectivo que como moldes gramaticales arman las frases sincronísticas.

Los casos de sincronicidad son encadenamientos causalmente no explicables; que no aparecen regularmente en la conciencia subjetiva de la persona, pero que como tales existen en el universo. De ahí que Jung los denominara fenómenos marginales de la ordenación acausal, *en donde la sincronicidad constituiría sólo un caso especial de la ordenación acausal general del universo.*

Todo esto implica sostener que consideramos que los fenómenos de la naturaleza y del psiquismo se encuentran ordenados por un cierto tipo de relaciones previas que pueden ser causales, energéticas o de sentido. Esta formulación arroja el planteo de Jung a una posición inmanentista en la concepción de la naturaleza y lo psíquico. Pero, curiosamente, a la manera de Husserl, se trata de una inmanencia trascendental, en tanto estos ordenamientos sincronísticos son actos creadores, una creación continua en el tiempo que lleva al hombre más allá de sus bordes.

Lo más esencial en el acontecer sincronístico es el aspecto *numinoso* de la experiencia; el hecho de que en ella desaparece la dualidad psíquico-física. Esto significa la existencia de un borramiento, un punto en el cual el sujeto penetra en relación plena con el todo; unidad que se pierde ni bien adquirida.

Se trata, por lo tanto, de un afloramiento de lo arquetípico; y en este sentido, de una transgresión del arquetipo a la ley fundamental que lo condena a su imposibilidad de realización.

Capítulo 3
Imagen, Símbolo y Arquetipo

"La psique es transición, de ahí que sea necesario definirla bajo dos aspectos. Por una parte, la psique da una pintura de los restos y huellas del pasado, y por la otra, expresados en la misma pintura, están los perfiles del futuro, ya que la psique crea su propio futuro. La psique en cualquier momento dado es simultáneamente resultado y cumbre del pasado, y fórmula simbólica del futuro. El futuro es sólo *similar* al pasado, pero en su esencia siempre nuevo y único. Así, la fórmula actual es incompleta, embrionaria, con respecto al futuro."

C. G. JUNG

El Psicoanálisis contemporáneo, a través de Jacques Lacan, brinda un modelo de trabajo que nos permite repensar el conjunto de los fenómenos psíquicos en tres registros: *lo imaginario, lo simbólico y lo real.*

Lo *imaginario* se refiere esencialmente a la relación narcisista del sujeto con su Yo, a la relación dual en la relación con el semejante, a la fantasía y a los procesos de identificación o formación imaginaria del sujeto.

Lo *simbólico* designa el orden de fenómenos en cuanto están estructurados como lenguaje.

Lo *real* es aquello inasible que constituye lo inconsciente. Es el mundo del deseo. Lo real busca realizarse en la realidad a través de lo imaginario y lo simbólico.

Este esquema también puede aplicarse de manera productiva a la Psicología Compleja. La imago correspondería al registro imaginario; el símbolo, el signo y la alegoría al orden simbólico, y los arquetipos a lo real.

La imago

Jung acuña para la Psicología Profunda el concepto de *imago*. Fue tanta su trascendencia que la revista psicoanalítica oficial durante muchos años llevó por nombre justamente ése.

La imago es básicamente *el prototipo inconsciente, el modelo de personaje que orienta nuestras elecciones, la manera mediante la cual se capta a los demás*. Como tal se elabora a partir de las primeras relaciones y experiencias intersubjetivas con el ambiente familiar y juega, al modo de un esquema imaginario adquirido, un rol de "clisé" a través del cual el sujeto se enfrenta a los otros. Su estructura es testimonio de su origen, que la instala como lo que designa una pervivencia imaginaria de algunos de los participantes en una situación parental histórica.

De este modo hay que entender la imago. No como calco de un objeto exterior sino como expresión de una situación psíquica, en tanto totalidad recreada a partir de un objeto. Esta constelación es un producto tanto de la actividad de lo consciente como de lo inconsciente que muestra la prevalencia del sujeto en la constitución de sus objetos internos y en los modos de vincularse con los otros. Por lo tanto, la imago es un modo que posee el sujeto de acceso a la realidad. Un modo imaginario de totalización subjetiva.

El símbolo

La concepción del símbolo para Jung resulta coherente con los principios generales de su teoría y con la necesidad en ella de dar cuenta de los modos de realización en la realidad de lo inconsciente. Pero el planteo junguiano no se reduce a esta cuestión, básica por cierto, sino que puede pensarse que la *fórmula del símbolo* define un orden estructurante del sujeto: el orden simbólico, el orden del lenguaje.

Recordemos que el habla es lo organizado, lo captable en cada discurso efectivo; por ejemplo, la lectura en alta voz de estas páginas. El lenguaje —en cambio— se refiere a aquello que da posibilidad a que este discurso se instituya como tal. A ese conjunto de leyes y reglas inconscientes e imperativas denominamos lenguaje. Y hasta tal punto esto es significativo que el hombre es tal en tanto mantiene esa capacidad de simbolizar. El sujeto es símbolo-vivo en tanto queda sometido a esta ley de expresión de la libido.

Pero, además, tal concepción en Jung tiene otra vertiente: *el símbolo expresa en su dinámica, en su estructuración, una realidad desconocida y que, al hallar su expresión en símbolo, no por eso es más conocida.* En tanto expresión de una verdad arquetípica (procedente de la memoria de la especie y, quizás, de la vida en sí misma) sólo puede ser revelada una fibra, una hilacha; pero nunca la totalidad de su saber.

Este planteo junguiano hace pensar que *el símbolo nunca es algo simple.* "Porque el símbolo —explica Jung— siempre *oculta* una realidad compleja tan fuera de toda expresión verbal que no es posible expresarla en acto". Acentuamos el término "oculta", porque desde esta perspectiva el símbolo aparece en Jung como *algo-a-descifrar.* Sin embargo, aunque lo descifremos en palabras, éstas nunca lo agotan. *Ahí donde se halla la palabra no está la cosa que el símbolo representa.*

Entonces, el símbolo se nos muestra como un indicador de una realidad que se oculta, como algo impreciso en su sentido, como complejo y multívoco. Justamente el carácter enigmático del símbolo reside en que, según Jung, "la riqueza de sentido es causa de la ausencia de claridad". Esta concepción polisémica, equívoca e inaprensible de los símbolos los coloca en una posición curiosa: lo que aparentemente está destinado a comunicar sentidos, justamente por su estructura, torna imposible toda comunicación lineal, directa, unívoca. Por eso, para Jung los símbolos son modos de comunicación *pentagramáticos.*

En el otro punto de la línea se ubica el *signo* como lo claro y unívoco. Allí lo que el signo significa está definido desde un código, como algo racional y cerrado. En cambio, en el símbolo no hay código o, en todo caso, se trata de un código abierto, inconsciente e inaccesible para el sujeto. De tal modo que mientras en el signo la relación significante-significado es de contigüidad, en el símbolo el significado está reprimido, es un núcleo inconsciente del orden de lo arquetípico, lo real del arquetipo, que es la inaprensible estructura moradora del Inconsciente Colectivo.

Pero, además, Jung nos lleva de la mano hacia otras riberas del fluir del río simbólico. El símbolo es por naturaleza un symbolum, que puede expresarse como un totalizar, un unificar, un reunificar del psiquismo. Totaliza, re-une, tanto lo consciente como lo inconsciente, lo futuro como lo pasado, lo racional como lo emocional y los unifica en una realidad presente, actualizada y total, pero también evanescente, instantánea.

Los arquetipos

En varias oportunidades hemos nombrado los arquetipos. Ahora nos toca conceptualizarlos. Tarea difícil, porque nuestra intención es rescatar un sentido especial, oscurecido muchas veces, desfigurado en otras, pero no por eso ausente en el texto junguiano. Este sentido, al que nos referimos, es que el arquetipo resulta la estructura de lenguaje del sujeto.

¿De dónde surge este concepto o idea de arquetipo? Esto ya se enuncia en Kant mediante el término *esquema*, ese monograma de la pura imaginación a priori por medio del cual se hacen posibles la imagen y el símbolo. Un puro mediador y articulador. ¿De qué? Veamos. El inconsciente colectivo es, por definición, inaccesible a la captación directa y sólo puede inferirse a través de sus formulaciones tales como los arquetipos y los símbolos. Los arquetipos son el nódulo de lo Inconsciente Colectivo. Dicho mejor: los arquetipos son las manifestaciones que produce ese estrato psíquico. Pero, de ningún modo, son el Inconsciente Colectivo.

En este sentido juegan el rol de primera mediatización de la fuerza energética del Inconsciente Colectivo. Son disposiciones estructuradas y estructurantes, matrices donde se modelan representaciones, constituyentes a-priori, determinantes de toda posible experiencia.

Los símbolos se diferencian unos de otros por el lugar que ocupan en una red de sentidos, teniendo en común el ser portadores de estos sentidos. Mientras en los signos tenemos una recurrencia a códigos o referentes, de los que se puede dar cuenta exhaustivamente a nivel racional, el símbolo, al ser una expresión de una experiencia completa y compleja, que excede lo racional y remite a los arquetipos en sí mismos, da sentido a la totalidad del sujeto.

El símbolo daría entonces una indispensable segunda mediatización, útil para favorecer la posibilidad de asequibilidad a contenidos inconscientes, y operaría entonces como un transformador energético que liberaría su energía en la medida en que se lo va interpretando hasta llegar a su total comprensión, donde dejaría de ser símbolo para convertirse en signo.

De esta forma queremos decir que el arquetipo articula lo inconscientemente colectivo en formas simbólicas. Lo real con lo conocido. Podríamos graficar estas relaciones de este modo:

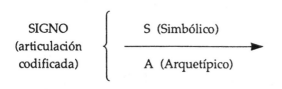

SIGNO (articulación codificada) { S (Simbólico) / A (Arquetípico) → Barrera que separa lo arquetípico de lo simbólico y señala el continuo deslizamiento simbólico para lograr atrapar la esencia arquetípica

Jung señala que los arquetipos constituyen una hipótesis operativa sobre la realidad de la parte más profunda e incognoscible de lo inconsciente. Pero el hecho de esta ubicación topológica no desmedra en nada la convicción de su existencia. Se lo conoce por sus efectos, por sus obras.

La persona cuando nace, explica Jung, no es una tábula rasa sino un *ser inconsciente**. Al principio era lo inconsciente, el arquetipo. Al principio era el verbo, la palabra, el arquetipo —palabra perdida para la conciencia—. Y estos arquetipos, constantes universales del psiquismo, son puestos en evidencia en tanto aparecen en el sujeto sin haber formado parte de su historia individual.

Los arquetipos designan, antes que nada, posibilidades de representación comunes a toda la humanidad. "Son la estructura de lo Inconsciente Colectivo", escribe Jung. Y esto es así, pues en tanto estructura son puras relaciones y no contenidos. Y esta estructura, además de las relaciones, incluye tres términos solidarios: el esquema o arquetipo propiamente dicho, la imagen mediante la cual el esquema se hace presente en la conciencia y el engrama o sostén biológico del arquetipo que explicaría, en parte, el mecanismo de su transmisión hereditaria.

---

* Jung concibe el Inconsciente Colectivo como posibilidad. "Como tal no existe, pues no es otra cosa que una posibilidad" (Jung). Visto así los arquetipos son la posibilidad de ser de lo inconsciente colectivo, y en tanto posibilidad de ser, el arquetipo posee un carácter pre-ontológico, anterior al ser.

Esquema, imagen y engrama

La *imagen arcaica* es la escena en la cual las relaciones arquetípi- cas arman su realización perceptible, cognoscible, mediante un mecanismo que Jung denominó proyección. Esta realización implica un florecimiento, una emergencia arquetípica en la conciencia. La imagen es el ropaje con que se viste el arquetipo para hacerse presente en el escenario de la conciencia.

El *esquema arquetípico* consiste en un nudo relacional, una pura forma, una suerte de "disposición a producir siempre las mismas re- presentaciones"; en suma, una posibilidad de representar.

De ahí que Jung asevere que los arquetipos no son representacio- nes heredadas "sino disposiciones innatas que producen representa- ciones similares". "Se trata —prosigue— de estructuras de la psiquis, universales e idénticas." Estas estructuras arquetípicas son las que moran en lo Inconsciente Colectivo. En tanto estructuras que prestan forma a la circulación energética son una suerte de disposición diná- mica que busca realizarse, concepto cercano al que Freud considera como "deseo".

Jung señala: "Tal arquetipo o forma de las imágenes arcaicas puede ser asimilado, en cierto modo, al sistema axial de los cristales. El sistema axial determina, por así decirlo, la formación de los crista- les en el aguamadre, pero no posee existencia propia alguna. El arque- tipo en sí no es más que un elemento puramente formal, una 'facultas praeformondi', una posibilidad de representación dada a priori [...] A su vez la concreción de la forma se baña de viva luz mediante la com- paración con el sistema axial. El sistema axial determina, en efecto, la estructura geométrica, pero no la talla concreta de cada cristal [...] El único elemento constante es el sistema axial, en sus relaciones geomé- tricas estables".

¿Qué nos dice aquí Jung?

• Que el arquetipo es una forma que da formas a las imágenes. Por lo tanto el arquetipo no es la imagen, sí una *pura forma*.

• Esta forma está dada a priori como posibilidad de representa- ción, de tal modo que lo que la persona representa está condicionado por esta situación apriorística.

• Lo único constante e invariante en el arquetipo son las *relacio- nes*. Esto es: una forma a priori relacional.

Esta postura es muy semejante a la que sostiene Freud en referencia al concepto de *fantasías originarias*. Esto no es de extrañar porque tanto Jung como Freud se sustentan en este punto en el *concepto de esquema de Kant*.

Volvemos a leer a Jung: "No hay medio de explicar el origen del arquetipo, sino admitiendo que son residuos de las experiencias recurrentes de la Humanidad". En otro texto agrega que "ya me han preguntado muchas veces de dónde vienen los arquetipos. ¿Es adquirido o no? No hay medio para responder en forma positiva a este interrogante [...] desde el punto de vista empírico, el arquetipo jamás ha sido constituido en el interior de la vida orgánica. *Aparece al mismo tiempo que ella.*"

De estas citas podemos extraer consideraciones útiles. Una es que no hay un tiempo pre-arquetípico, no existe la persona natural.*
La pregunta por lo que dio nacimiento al arquetipo puede ser dejada de lado, como preocupación académica que no compromete la esencia del tema.

La segunda consideración es que el arquetipo no es un residuo de experiencias sino una estructura de deseo y, justamente, en tanto deseo es que busca realizarse y repetirse. No es que alguna vez haya existido un "Anciano Sabio" —que todo lo conocía y al que resultaba posible solicitarle ayuda oracular exacta— y, después, surgió como estructura arquetípica formadora de parte del Inconsciente Colectivo, capaz de generar el Arquetipo del Anciano Sabio, como fruto de la experiencia colectiva. Ese anciano nunca existió. Pero hay un deseo universal en el hombre de que se convierta en hecho real. Como nunca existió es que desde el deseo colectivo se organiza su existencia en fantasías, mitos y símbolos.

Nuestra posición respecto al origen de los arquetipos es, por lo tanto, crítica. Estamos convencidos de que la explicación histórica no agota ni resuelve el problema.

La verdadera cuestión es preguntarse si el origen de lo arquetípico no puede ser hallado en el funcionamiento de la psique, en la actualidad verificable, más que en un cierto esquema explicativo de carácter genético que ya de por sí se nos presenta incierto y, por sobre todo, indudablemente hipotético.

---

* Dr. Mario Giuffrida: *"Ser natural* es un mito".

La cuestión del arquetipo no reside, pues, en la pregunta por su origen, ni por las diferentes configuraciones históricas que adquiere como símbolo en diversos grupos y tiempos. Más bien estamos tentados a sostener que la cuestión consiste en interrogarse por qué en todas las sociedades y en todos los individuos existe el *hecho-del-arquetipo*.

Esto coloca la cosa en otra coordenada: el arquetipo no constituye un monumento inconsciente de experiencias que la Humanidad transitó, ni su emergencia una conmemoración de esos acontecimientos. Por el contrario, las estructuras arquetípicas y sus manifestaciones, los arquetipos, son expresión —permanente— del deseo inmortal de la Humanidad por alcanzar la completud que estas funciones proponen como ideal.

La cultura se edifica sobre el hecho de que ésta se opone a la realización del deseo arquetípico. Se opone porque la realización de lo arquetípico, su efectivización como tal en la realidad, implicaría la virtual quiebra de toda la base sobre la que se edifica el andamiaje social, en tanto el orden simbólico que lo regula y ordena aparece a consecuencia de la represión de lo arquetípico, bajo la forma de lo que representa o sustituye, aquello real-arquetípico que tiene vedado su acceso a la conciencia.

Lo inconsciente-arquetípico-real ha sido excluido de su posibilidad de permanencia y realización por algún motivo. Este motivo de economía psíquica es el precio que se paga por ser en la cultura, como única posibilidad de ser.

Las fuentes del concepto de arquetipo

La concepción de arquetipo propuesta por Jung reconoce diversas fuentes donde puede ser rastreada.

Nos vamos a referir sólo a dos: el concepto de fantasía originaria de Freud y el concepto de esquema en Kant.

1. El concepto de fantasía originaria

Sigmund Freud, en distintas oportunidades a lo largo de su obra, pero especialmente en el historial clínico conocido como "El Hombre de los Lobos" y en la Lección XXIII de su Introducción al Psicoanálisis, aborda la cuestión de la necesidad lógica de pensar en la existencia de ciertos universales psíquicos heredados filogenéticamente, a los que denomina *fantasías originarias o protofantasías*.

Las fantasías originarias son esquemas que, como categorías, organizan las experiencias del sujeto. Se trata de formas, no de representaciones concretas, que motivan el despliegue de escenas particulares alrededor de estos esquemas básicos fundantes. Son ellos: castración, escena primaria, seducción, vida intrauterina, etcétera.

Freud las define como " [...] patrimonio heredado, herencia filogenética [...] que llena las lagunas de la verdad individual con una verdad pre-histórica, que pone la experiencia de los ancestros en lugar de la propia [...] predisposición a readquirir [...] preparación para entender".

Se trata, entonces, de "esquemas congénitos, heredados por vía filogenética —sigue diciendo— que como categorías filosóficas procuran la colocación de las impresiones vitales. Sustentaría la concepción de que son precipitados de la historia de la cultura humana".

Este planteamiento, semejante al expresado por Jung, sugiere la existencia de unos esquemas congénitos filogenéticos que, como categorías ordenadoras, se ocupan de organizar el conjunto de experiencias y vivencias del sujeto. Algo así como la colocación de la experiencia en ciertos marcos predeterminados.

Estos esquemas serían residuos o sedimentaciones de la experiencia histórica y común de la persona y su cultura. Toda vez que lo vivenciado de manera particular por un sujeto en la ontogenia no armoniza con el esquema heredado, la fantasía, la función imaginaria de la persona, trataría de restablecer la armonía.

2. El concepto kantiano de schema

En el parágrafo 59 de su *Crítica de la Facultad de Juzgar*, Kant dice que a fin de exponer la realidad de nuestros conceptos siempre son necesarias intuiciones.

Darles realidad significa aquí otorgarles contenido objetivo. Ahora bien, si se trata de conceptos empíricos, las intuiciones se llaman "ejemplos". Pero cuando se trata de conceptos puros del entendimiento, se los denomina "esquemas".

La fantasía es, justamente, la facultad de los esquemas. Pero, además, estos esquemas llevan a pensar en una imaginación como función productora de la naturaleza misma, en el sentido de Schelling, quien de algún modo pensaba el mundo como producción imaginaria humana.

De este modo las fantasías originarias aparecerían como esquemas organizadores del mundo. Y así como podemos afirmar que es necesario, en esta cuestión, para comprender a Freud, remitirse a Kant, también podemos sostener que para comprender adecuadamente el problema de lo arquetípico en Jung se hace menester una referencia a Freud. Pero existen diferencias. Estas se advierten en la apreciación freudiana realizada en un párrafo del "Hombre de los Lobos": "Sólo que en la historia primordial de las neurosis el niño echa mano de esa vivencia filogenética toda vez que su propia vivencia no basta. Llena las lagunas de la verdad individual con una verdad histórica, pone la experiencia de los ancestros en lugar de la propia. En cuanto a reconocer esta herencia filogenética estoy por completo de acuerdo con Jung; pero considero metodológicamente incorrecto recurrir a una explicación que parte de la filogenia antes de haber agotado las posibilidades de la ontogénesis."

3. El origen de la civilización, según Kant, y el concepto de lo arquetípico

Kant escribe un interesante e ilustrativo trabajo, publicado en 1867, cuyo título es *Conjetura sobre los comienzos de la historia humana*, basado en un comentario interpretativo del Génesis, con la intención de efectuar —a partir de allí— una propuesta sobre el origen de la Civilización y la Cultura.

Para Kant, en el comienzo de la Humanidad, el instinto "esa voz de Dios que todos los animales obedecen" fue lo que guió a la persona en su relación con el mundo. Esa fuerza lo conducía a elegir determinados alimentos y le prohibía otros. Kant supone, en este punto, la prevalencia del sentido del olfato como presidiendo la vida en los tiempos primordiales y míticos.

La prevalencia del olfato se ve desplazada por un nuevo desarrollo ligado a la percepción que, míticamente, Kant vincula a la "caída" de la persona y la expulsión del Paraíso, que se debió —justamente— al influjo del sentido de la vista que no guarda relación de dependencia con el instinto.

Kant agrega que junto con este desarrollo se impulsa la capacidad de pensamiento y la razón. Es una propiedad de la razón poseer la capacidad de fingir tendencias con la ayuda de la facultad de imaginar y "ello no sólo sin una pulsión material que lo oriente, sino contra ella". De este modo la imaginación crea inclinaciones opuestas a la naturaleza. Lo que se opone a la naturaleza es la cultura.

La ocasión para oponerse a las pulsiones naturales pudo haberse originado en una situación mínima. Acaso la persona vio a un animal comer de cierto fruto que le era de provecho y quiso imitarlo, aunque de este modo contrariase su instinto y el fruto le resultara perjudicial.

El hombre, entonces, se hizo sabedor consciente de su propia razón, en tanto esta facultad es capaz de sobreimponerse a las limitaciones instintivas. Así la persona inició un camino, irreversible, de oposición a la naturaleza, que le provocó, a medida que adquiría nuevas cosas, la represión de ciertas disposiciones naturales.

De esta transacción nace la sensualidad como formación imaginaria. Y esto no sólo se despliega en lo concerniente al instinto de nutrición, que se vincula con la conservación del individuo, sino también con el instinto sexual que se relaciona con la permanencia de la especie. Este último instinto actúa en los animales como una impulsión pasajera regida por una necesidad cíclica. En cambio, en el ser humano se transformó en una actividad permanente debido a que el objeto de satisfacción sexual comenzó a sustraerse a los sentidos. Así, metafóricamente, la ocultación del cuerpo, la "hoja de parra" marca el nacimiento de la cultura.

Kant piensa que el hecho de que una inclinación se torne más duradera sustrayendo su objeto a los sentidos, implica la posesión de una conciencia de cierto imperio de la razón sobre las pulsiones.

El mecanismo de "rehusamiento" fue el artificio que permitió el pasaje de los estímulos sentidos a los ideales, de los apetitos al amor. Rehusamiento que puede ser tomado como antecedente de lo que —posteriormente— aparece en los textos psicoanalíticos como "represión", específicamente la operación psíquica de la represión orgánica. De esta manera, la persona se presenta frente al mundo de un modo diferente. Adopta otra posición. Se abre al tiempo y al futuro que se le presenta como incierto y peligroso. Y el terror lo lleva a buscar medios de defensa en los cuales refugiarse con alguna seguridad: la formación de la familia y el trabajo de la cultura.

Esta dirección, que en Biología suele denominarse "hominización" o "cerebración", marca el nacimiento de la razón. Adquisición de la cual no puede renegarse y que impulsa inexorablemente hacia el perfeccionamiento. Perfeccionamiento de la razón, en desmedro del sentir.

Estos son, para Kant, los puntos esenciales del nacimiento de la cultura. "La historia de la naturaleza empieza por el bien, pues es obra de Dios; la historia de la libertad empieza por el mal, por la perturbación del orden natural." Frase que podríamos leer: la historia de la naturaleza comienza por el bien, pues es obra del arquetipo; la historia de la libertad empieza por el mal, debido a que tenemos la perturbación que el símbolo introduce en el orden natural.

En este punto Kant incluye una referencia a Rousseau. La persona es, por naturaleza, buena. La civilización es la que sofoca esa bondad originaria. Hay una contradicción entre la Humanidad como especie física y como especie moral. Pero Rousseau no proponía —como cierto demérito a su obra hace decir— un volver a la naturaleza, sino el rescate de la Humanidad desde la civilización misma. Y Kant, señalando el mal introducido por la razón en el pasaje de la paz del Paraíso al mundo del trabajo y la discordia, cree discernir la reconciliación futura entre la naturaleza y la cultura, entre la naturaleza y la razón, en los progresos del arte, que llegado a su perfección devendrá de nuevo naturaleza.

Tenemos entre el texto de Kant y los de Jung notables relaciones de concepción. Pero Jung avanza más, tal vez por el hecho de que éste sea su campo de interés, señalando que todo este pasaje de la naturaleza a la cultura fue dejando rastros, marcas de experiencias en común en la Humanidad, que como sedimentos de antiguas experiencias se constituyen en lo arquetípico, hacia lo cual la persona intenta retornar.

Capítulo 4
Lecciones arquetípicas

"[...] el niño echa mano de esa vivencia filogenética toda vez que su propio vivenciar no
basta. Llena las lagunas de la verdad individual con una verdad prehistórica, pone la experiencia de los ancestros en lugar de la propia."

S. Freud

Los arquetipos son huellas mnémicas de experiencias de la humanidad, registros que narran los recorridos de la especie a lo largo
de su evolución aún no concluida.

Como conjunto forman un texto, un discurso, una totalidad, un
sistema único y holográfico, de modo tal que cada engrama arquetípico contiene el conjunto de todas las vicisitudes con que cuentan los arquetipos. Por otra parte, un arquetipo sólo se hace comprensible si lo
referimos al resto de los existentes y posibles.

Si se coloca la cuestión arquetípica en términos de "texto", podemos pensar este texto como la historia de un sujeto: el inconsciente
transpersonal o, como Jung lo denomina, "colectivo".

Visto de este modo se puede abordar su estudio desde algunas
categorías que nos facilitan la captación plena de su función en los
tanteos progresivos de la humanidad hacia su realización.

Estas categorías son: argumento, mandato, función, lección, aspecto positivo, aspecto negativo, palabra clave y clínica.

Argumento arquetípico

Por *argumento arquetípico* definimos la estructura de la experiencia filogenética vivida de la humanidad e incorporada como recuerdo inconsciente y eficaz que condiciona la organización de la experiencia ontogenética.

El argumento es, por una parte, una armadura, un ensamblaje; pero también, un "mapa" prefijado de una ruta a seguir.

Como armadura conecta y da forma a las diferentes vivencias reuniéndolas bajo denominadores comunes. Como mapa es un itinerario que traza vías de facilitación de las conductas, caminos posibles para entender y comprender los datos de la vida.

Si tomamos como ejemplo el arquetipo de la sombra, su argumento sería "sobrevivir a cualquier costa sin mirar en límites". La función de la sombra ha sido incorporada en la filogenia ante la necesidad de superar la hostilidad del medio ambiente. Era un tiempo de luchar o morir. Esta reiterada experiencia colectiva estableció una memoria engramática, un anclaje que responde al patrón de lucha, de sobrevivencia. Esto representa un aspecto del argumento de la sombra: la resolución de los conflictos por la vía de la agresión. La naturaleza en estado puro, sin bordes ni inhibiciones.

Posteriormente, el proceso continuo de culturización fue estableciendo una barrera de prohibiciones y bordes. El hombre hundió en la oscuridad de su memoria inconsciente y colectiva todo aquello que consideró como rechazable y contrario a las normas sociales y culturales. De este modo quedó consolidado el arquetipo de la sombra como el complejo colectivo inconsciente representante de ese pasado arcaico, primitivo y conculcado.

Mandato

Si el arquetipo es una huella que deja el aprendizaje de un argumento que se actualiza de modo permanente, el hombre está atado a su repetición, a reiterar esa experiencia una y otra vez. Hay un mandato que lo ata, que anuda al hombre a ese argumento. Que le impide escapar a ese destino.

El mandato es una orden a cumplir, un programa de vida que la especie obliga a que el individuo actúe, en tanto la especie considera su transgresión como un ataque al substrato común de su esencia.

El mandato es la garantía de la especie impuesta al individuo como una hipoteca en su comportamiento. Es un recorte a la libertad y es un resorte del poder colectivo.

Siguiendo con el ejemplo de la sombra, el mandato sería "ganar a cualquier precio". Y si el argumento es la sobrevivencia, el mandato es el "triunfo" que a veces el sujeto cree conseguir a costa del rechazo de partes de sí mismo. Pero así como este mandato responde a una tendencia progresiva de la vida de la especie, el complementario "autodestrúyete" responde a la tendencia regresiva o tanática.

Lección arquetípica

La lección arquetípica es un aprendizaje que dejó en la especie una experiencia significativa. Consiste en una suerte de patrón de comportamiento reaccional y pulsional. Un comando que dirige inconscientemente, por ciertos caminos con preferencia a otros, a los sujetos como si éstos conocieran de antemano cuáles son los adecuados. En cierta medida la lección tiene esta indicación, pero también es cierto que se trata de una lección incorporada pero no totalmente elaborada. Justamente su repetición es el signo de un aprendizaje no logrado.

También podemos pensar —como ya lo hemos señalado— que la experiencia arquetípica que deja como resto en el psiquismo colectivo a la lección como recuerdo, pudo haberse tratado no de una experiencia vivida sino de la expresión de un deseo de la humanidad de algo añorado como completud. Desde esta visión su repetición es la reiteración de un deseo arquetípico, antes que la conmemoración de un acontecimiento.

La condición para que el deseo sea deseo es que nunca se cumpla*. Esta situación sirve de sostén al movimiento de búsqueda de la unidad arquetípica. Su realización implicaría un cambio en la naturaleza del hombre; por ejemplo, la individuación. Por esto, cuando ella se alcanza el hombre no vuelve a encarnar.

---

* Al respecto, Sai Baba dice: "El que no desea merece".

Función arquetípica

Dentro de la estructura psíquica inconsciente los complejos arquetípicos cumplen funciones determinadas de acuerdo con su naturaleza.

Para Jung una función es una actividad que en circunstancias diversas responde del mismo modo. Y desde la perspectiva arquetípica podemos decir que ciertos complejos inconscientes y colectivos existen como patrones o guías reaccionales de actividad y su finalidad es aportar, en el desarrollo ontogenético, la experiencia de la filogenia de la especie.

Esta acción es general y común a las distintas matrices arquetípicas. Pero cada una de ellas también tiene una operatividad particular.

Así, por ejemplo, la "máscara" representa los procesos por los cuales el sujeto logra la adaptación necesaria para obtener la cobertura de su vida íntima en el escenario de las relaciones sociales.

Aspecto positivo y aspecto negativo

Cuando hablamos de aspecto positivo y aspecto negativo nos referimos a dos cualidades complementarias del funcionamiento de los complejos arquetípicos.

Muchas veces destacamos —en los distintos arquetipos— uno solo de ambos sentidos. Así la sombra está pintada como la negatividad en esencia, olvidando de este modo los aspectos positivos que conlleva. Al respecto Jung dice: *"No pueden existir las cumbres sin los abismos correspondientes. El error consiste en suponer que lo que irradia luz deja de existir si se lo explica desde el punto de vista de la oscuridad."*

Los aspectos negativos señalan la dirección regresiva y disociativa de la energía libidinal. Por el contrario, los aspectos positivos, la orientación progresiva e integrativa.

Palabra clave

La palabra clave es el término que define la esencia de un complejo arquetípico y que bajo diferentes formas aparece verbalizada o actuada por un sujeto bajo el dominio del accionar de este complejo. Así, por ejemplo, "estar fuera de sí" es la palabra clave de la sombra.

Hay que tener en cuenta que esta significación es global y está presentada por los matices personales de cada sujeto. Por eso resulta importante descubrir tras las variaciones de manifestación el *factor* común de la palabra clave.

Clínica

El concepto de clínica se refiere a los comportamientos propios de cada complejo arquetípico.

Los arquetipos se realizan en la realidad por medio de constelaciones simbólicas pero se encarnan en expresiones conductales que les son propias. Así, por ejemplo, la impulsividad, la agresividad, la crueldad, etc., son rasgos típicos de la acción de la sombra.

Estas manifestaciones clínicas incluyen miedos, vivencias, deseos, estados emocionales, acciones, conflictos, etcétera.

De este modo podemos decir que la clínica de un arquetipo describe los modos propios y particulares mediante los cuales cada complejo inconsciente y colectivo se da a conocer en lo individual.

Mientras que el argumento y el mandato describen la *estructura* de un arquetipo, y la función y los aspectos su *dinámica*, la clínica alude a su *expresión* concreta. Constituye lo que H. Wallon llamaría su *aspecto dramático*.

Capítulo 5
Estructura, dinámica
y expresión arquetípicas

"El error consiste en suponer que lo
que irradia luz deja de existir si se lo
explica desde el punto de vista de la oscuridad."

C. G. JUNG

El mundo o universo de los arquetipos es nuestro pasado vivo y
nuestro futuro posible. En su trama se encuentra lo que la especie acu-
muló como experiencia de evolución y las posibilidades o caminos
aún a recorrer.

Conviene distinguir un grupo de complejos a los cuales Jung les
atribuyó el formar parte de la estructura psíquica funcional: animus,
máscara, sí mismo, plenitud, ánima, sombra. A estas configuraciones
arquetípicas las vamos a denominar *instancias psíquicas colectivas*.

Las instancias son como "individuos dentro del individuo" (C.
G. Jung). Guardan entre sí una recíproca oposición, una tensión de
opuestos complementarios que llevan una verdadera vida autónoma.

En tanto instancias son lugares psíquicos que cumplen funciones
y representan sistemas parciales, como personalidades dentro de una
personalidad más abarcativa. Es por esto que cuando la sombra se
apodera del sujeto éste siente que está poseído por una fuerza a la que
atribuye carácter personal.

Además de estos complejos arquetípicos que poseen un sentido
estructural, en la vida endopsíquica del sujeto, Jung señala la existencia de vastas representaciones que, encarnadas en imágenes, se reiteran más allá del tiempo, el espacio y la cultura. Así, por ejemplo, el ar-

quetipo del *Anciano Sabio* posee una permanencia y reiteración que hablan por sí de su carácter de residuo histórico de la humanidad.

Tanto la enumeración como el tratamiento que vamos a realizar de este segundo grupo es sólo de simple mención, debido, en parte, a la notable diversidad de las imágenes arquetípicas y, en parte, a que excede en mucho la naturaleza de esta obra.

A continuación se presenta de modo sistemático el estudio de las instancias psíquicas colectivas cuyas afirmaciones fundamentales son:

Sombra: lo que Yo soy pero ignoro que soy.

Máscara: lo que Yo soy en función de los otros.

Anima: lo que Yo soy como estados de ánimo.

Animus: lo que Yo soy como juicios y opiniones.

Plenitud: lo que Yo soy como aún no realizado.

Sí Mismo: lo que Yo soy como aspiración de totalidad.

Sombra
lo rechazado, lo ignorado

Descripción

La sombra simboliza nuestra cara oculta y rechazada. Jung la denomina "nuestro hermano de la oscuridad que aunque invisible forma parte de nuestra totalidad". Representa el aspecto inadaptado del hombre por oposición a la *persona* que actúa como el adaptado.

Todo lo que el sujeto no quiere ser, que rechaza de sí mismo, rasgos de identidad que resultan penosos de aceptar, lo repudiado, el "negativo" de nuestra personalidad configuran el núcleo del complejo autónomo de la sombra. También expresa la voluntad de poder del pasado filogenético más arcaico, "la cola de saurio" del hombre. Sus tendencias más primitivas y agresivas. En suma, los aspectos siniestros de todo sujeto, "todas las facetas de la realidad que el individuo no reconoce o no quiere reconocer en sí y que por consiguiente descarta" (T. Dethelefsen).

Función

La función de la sombra está ligada a la sobrevivencia. Cohesiona en un mismo complejo todo lo que el sujeto rechaza. Es la fuente de la fuerza agresiva de la dinámica psíquica. Desde su seno es de donde surge la enfermedad. Los síntomas son el retorno de lo reprimido y suprimido de la conciencia que vuelve. La energía de las conductas de dominio sobre los semejantes surge de la sombra, del mismo modo que da fuerza para la lucha por la vida. Desde el punto de vista filogenético la existencia de la sombra denuncia la presencia de un mecanismo de adaptación al que la especie debió recurrir en su proceso de culturización y ascenso evolutivo. Guía las tendencias disociativas del sujeto.

Palabras claves

Lo oscuro, lo oculto, lo incontenible, el poder.
"Estar fuera de sí".
"Perder los límites".
"Estoy desbordado".
"Estoy descontrolado".

Argumento
Sobrevivir a cualquier precio, rechazando, ignorando y reprimiendo todo aquello que resulta penoso de aceptar como propio.

Mandato
"Debes ganar a cualquier precio".
"Autodestrúyete".
Resolver los conflictos por medio de la vía agresiva.

Aspecto positivo
El principal aspecto positivo de la sombra es que su actividad denuncia aquello de nosotros que hemos relegado y que si no integramos jamás podremos realizarnos en totalidad.
Ayuda a sobrevivir. Da fuerza a los semejantes. No desmaya ante la adversidad. Tiene confianza en sus fuerzas.

Aspecto negativo
Expresión de conductas agresivas, de dominio y sometimiento del semejante. Desune, separa y disocia. Se descontrola fácilmente pasando al acto. Difícil acceso. Simulación. Carácter desconsiderado, duro y caprichoso.

Lección
Reconocer las cosas ocultas y rechazadas como propias.
Que en tanto no las integremos estamos incompletos.
A sobrevivir cooperativamente y controlar los desbordes.

Conflicto
El conflicto básico del complejo de la sombra es: control-descontrol.

Clínica
La presencia de la sombra es típica en pacientes impulsivos, agresivos hasta la crueldad, psicópatas, perversos y en general toda persona incapaz de tolerar las normas consensuadas y la frustración. También es propia de los estados de posesión y psicosis disociativas.
La personalidad sombra vive bajo fuertes estados emocionales de desesperación y muchas veces se siente desahuciada de la vida, dominada por el destino y habitada por oscuras fuerzas que la guían. Siente deseos de destruir, teme no poder contenerse o desbordarse. Suele defenderse apabullando con violencia.

Máscara
la conformidad, lo inauténtico

Descripción

La persona o máscara es una manera de simular individualidad. Jung la define como la "máscara de la psique colectiva". Resulta de una transacción entre el individuo y la sociedad.

Sin duda, es un mediador que protege al sujeto en sus relaciones, pero que oculta lo que verdaderamente el sujeto es en función de una aceptación social necesaria.

Esto le da a la persona un marcado carácter de inautenticidad que en algún momento lleva a un enfrentamiento entre lo externo aparente y lo interno real.

Sin embargo, esta función psíquica no debe ser vista como una construcción individual y consciente, sino como expresión de una actividad colectiva que responde a la dinámica del inconsciente transpersonal. Se trata, en suma, de un complejo funcional que por motivos de adaptación ha llegado a conformarse como tal. Constituye todo el carácter aparente de un ser humano "que muchas veces lo acompaña, inmutablemente toda la vida" (C. G. Jung).

Función

Básicamente, la función de la máscara es cubrir, defender al sujeto de los impactos y presiones de la vida social. Protege la intimidad y da resguardo a sus aspectos privados o que el sujeto de modo no consciente desea esconder.

También la máscara determina la imagen o ideal consciente del sujeto que lo guía en el modo en el cual debe presentarse ante sus semejantes, en sus relaciones vinculares, en todo lo que le resulta favorable. Guía las tendencias reactivas y enmascarantes del sujeto.

Palabras claves

Ocultar, ser aceptado, adaptarse a los requerimientos sociales.
"Debo sonreír por fuera, aunque esté tenso por dentro".
"Necesito ser aceptado".
"Busco que me reconozcan, me quieran, me tengan en cuenta".
"Al mal tiempo buena cara".
"Hay que aparentar".

Argumento

Para ser aceptado hay que aparecer como la gente quiere.

Si uno se muestra tal cual es, corre el riesgo de no ser tomado en consideración, de no ser querido.

Mandato

"Te van a querer y aceptar por lo que pareces".

"Lo importante es la elegancia, el efecto que causes".

"No hay que mostrarse nunca tal cual se es".

Aspecto positivo

El principal aspecto positivo de la máscara es que sirve de colchón o amortiguador de los impactos sociales en el sujeto. Permite el establecimiento de buenas relaciones y resulta un importante factor de adaptación. Ayuda notablemente a la convivencia, la cooperación y participa de la generación de climas de alegría, diversión y traquilidad.

Aspecto negativo

Inautenticidad y superficialidad. Poca profundidad en los afectos. Confusión entre lo que se es y lo que se aparenta ser. Distorsión en la percepción de la realidad interior y exterior. Poca capacidad de reflexión sobre sí. Excesiva dependencia de los objetos externos.

Lección

Reconocer que la apariencia no nos hace ser más aceptados. Que el ser es algo diferente del parecer. Que para poder avanzar en nuestro grado de evolución debemos, tenemos que ser auténticos. No depender del afecto de los otros para sentirnos seguros.

Conflicto

El conflicto básico del complejo de la persona o máscara es: aceptación-rechazo/ser-parecer.

Clínica

La presencia de una fuerte acción de la máscara es común en las personas sugestionables, superficiales, insatisfechas, de poca fuerza y seguridad interior y con mucha dificultad para relaciones plenas. También es propia de las histerias y de ciertas patologías disociativas.

Las personalidades máscara viven dominadas por estados emocionales poco consistentes, miedos a situaciones de autoridad y aceptación; sus deseos más importantes son no pasar desapercibidas y que no se descubra lo que realmente piensan y sienten. Por eso temen ser descubiertas como lo que realmente son.

Generalmente con fuertes tendencias mitómanas, fantasean poder engañar. Sin embargo, poseen una personalidad vulnerable, débil y hasta cierto punto ingenua. Muy reprimida y "franelera", se dejan guiar notablemente en sus evaluaciones por valores estéticos, antes que morales o racionales.

Anima
lo creativo, lo vidente

Descripción

El ánima representa la imagen colectiva de la mujer, de lo femenino, de lo receptivo, de lo pasivo y cóncavo.

Es uno de los lados de la adaptación sexual que hace de la necesidad de protección un motivo en su modalidad vincular. En el hombre el ánima se expresa por la emergencia de estados de ánimo inexplicables cuya naturaleza puede ser tipificada como astuta y reticente.

El ánima actúa de acuerdo con una estructura rítmica y circular, y aparece ligada, muy íntimamente, a todo lo que en el sujeto son sus aspectos nutricios y creativos.

Jung señala: "No existe ninguna experiencia humana y no es posible experiencia alguna sin que haya una disposición subjetiva. Pero, ¿en qué consiste la disposición subjetiva? En última instancia es una estructura innata, que permite al hombre realizar experiencia. Así, todo hombre presupone a la mujer tanto corporal como espiritualmente. Su sistema está constituido a priori en orden a la mujer [...] Existe una imagen colectiva heredada de la mujer en el inconsciente del hombre con cuya ayuda puede él comprender la naturaleza de la mujer".

Función

El ánima es un generador de estados de ánimo. Es la fuente de la creatividad y la intuición. De esto deriva su capacidad de percepción y "videncia". Posee una orientación nutritiva y protectora. Está muy vinculada a la actividad de fantasía del sujeto. También es responsable de los procesos "subjetivos". Es el regulador de las tendencias y apetencias eróticas femeninas y receptivas. Guía las corrientes psíquicas regresivas ontogénicas del sujeto.

Palabras claves
Posesividad, amor, entrega, femineidad.
"Sólo vivo para ti".
"No me abandones".
"Nadie puede darte lo que yo te doy".

Argumento
Dar amor para recibirlo.
Aceptar para obtener atención y afecto. Ponerse al servicio del otro en tanto no hay nadie mejor para hacerlo.

Mandato
La certeza de que no nos abandonen es hacer que los otros dependan de nosotros.
"Soy todo lo que necesitas".

Aspecto positivo
Son personalidades muy afectivas. Tienen una gran capacidad de comprensión y abnegación. Ayudan a crecer a los otros, nutriéndolos de acuerdo con sus necesidades sin pedir nada a cambio. Accesibles y cordiales. Gran capacidad de amar, y para enfrentar situaciones límites y desafortunadas con firmeza. Fuerte contacto con la intimidad. Capacidad de autoobservación y muy buena sensibilidad. Suavidad, ternura y buen feeling para el contacto. Siempre tienen algo para el otro.

Aspecto negativo
Tendencia a ser posesivos y generar dependencia. Sentimientos de lástima de sí mismos. Ahoga con su control y demandas. Sobreprotección. Absorción. Gran temor al abandono. Impulsividad. Falta de objetividad para juzgar situaciones.

Lección
Aprender a querer sin ahogar. Dejar crecer libremente al otro de

acuerdo con sus deseos. Aprender a no dominar por medio del afecto. Dar sin pensar en el vuelto.

Conflicto

El conflicto básico del ánima es: dependencia-independencia.

Clínica

La presencia del ánima es común en pacientes o personas dominadas por conductas de irritabilidad, absorción, celos posesivos y en general con manifestaciones de afecto destinadas a controlar por medio de la sobreprotección. Ciertos cuadros histéricos y de psicosis están vinculados al ánima.

La personalidad ánima sufre de ahogos y dolores en el pecho, afecciones cardíacas y ginecológicas. De temperamento culpógeno, siente habitualmente que no la quieren como merece en función de los "sacrificios que realiza". Teme que la dejen. La imagen que tiene de sí misma es la de un pecho nutricio inagotable. Su principal defensa es pensar que la afectividad liga, compromete, pero fundamentalmente ata. Esto lo lleva a ser un sujeto que vive reprochando la falta de reciprocidad por lo que ellos dan.

Animus
lo lógico, lo objetivo

Descripción

El animus representa la imagen colectiva del hombre; lo masculino, lo penetrante, lo activo y convexo.

Es el costado de la adaptación sexual que hace de la acción de proteger y defender "al débil" una modalidad vincular. En la mujer el animus se expresa por la emergencia de comportamientos obstinados y poco influibles por estímulos externos.

El animus actúa de acuerdo con una estructura lineal y crítica, estrechamente ligada a todo lo que en el sujeto son sus aspectos lógicos y normativos.

Jung hablando del animus señala: "Si tuviera que expresar en una sola palabra qué es lo que constituye la diferencia entre el animus y el ánima, sólo podría decir que el ánima produce estados de ánimo y el animus opiniones, y así como los estados de ánimo del hombre surgen de oscuros trasfondos, así también descansan las opiniones en presupuestos no menos inconscientes y aprioristicos. Las opiniones del animus tienen muy a menudo el carácter de convicciones sólidas, que no se quebrantan con facilidad, o de principios, que en apariencia tienen una validez indiscutible".

Función

El animus es un generador de juicios y opiniones. Cumple el rol de instancia crítica y normativa. De allí deriva su capacidad de orden, diferenciación y discriminación. Tiene una orientación lógica y objetiva. Predominantemente reflexivo, generalmente hace prevalecer el pensar sobre el sentir. Es responsable de los procesos "objetivos". Es el regulador de las tendencias y apetencias eróticas masculinas. Guía las corrientes psíquicas progresivas ontogenéticas del sujeto.

Palabras claves

Separar, dar normas y límites.
"Esto no se puede hacer".
"Hasta acá se puede llegar".
"Lo lógico y racional es que…"
"Hay que pensar con objetividad".

Argumento

Ser fuertes es tener convicciones fijas.
Poner límites es la forma más segura de convivir.
La lógica debe guiar los actos.

Mandato

Ser esclavo de la ley. Hacer del cumplimiento de las normas el estilo de vida.
"La ley y la razón son tu pastor. Con ellas nada te puede faltar."

Aspecto positivo

Son personalidades objetivas y reflexivas. Gran capacidad de trabajo productivo. Ayudan a crecer a los otros haciéndoles ver sus potencialidades y limitaciones. De carácter estable. Buen contacto con la realidad externa. Ordenadores, seguros y con claridad para resolver problemas. Independientes y con una buena disposición para el servicio.

Aspecto negativo

Inflexibles, tercos y pertinaces. Suelen someterse a personalidades más fuertes. Dureza pero, sin embargo, en situaciones extremas pueden perder fácilmente su capacidad operativa y caer en la desesperación. Suelen ser negligentes y dar a otros pero no a sí mismos. Tendencia a la rigidez, el aislamiento y la injusticia.

Lección

Aprender a poner límites respetando lo que guía los vínculos entre los seres humanos, aunque se aparte de la lógica y el orden preestablecido. Aprender a ser justos. No juzgar.

Conflicto

El conflicto básico de la personalidad animus es: separación-aislamiento. Orden-desorden.

Clínica

La presencia del animus es común en los pacientes excesivamente rígidos y moralistas. Muy activos pueden llegar incluso a una situación de derroche de energía. Su lucha interna por hacer bien las cosas les quita fuerzas y productividad. Son formales y parecen, en algunos casos, no poder expresar sus afectos. Las formas obsesivas son un buen ejemplo de la hipertrofia del animus. La personalidad animus suele sufrir de cansancio mental y físico. Muchas veces manifiesta una marcada tendencia a la adicción, diálogos internos e insomnios. Puede llegar hasta la crueldad por su inflexibilidad normativa. Padece de miedo a lo inesperado. Desea tener una identidad fuerte y gran poder de decisión para hacer las cosas como se deben. Temor a ser invadido dentro de sus bordes y privacidad. Su principal defensa es el fiel cumplimiento de lo establecido.

Plenitud
lo potencial, lo luminoso

Descripción

Para alcanzar una evolución de su ser el hombre debe tener la disposición para desplegar todas las potencialidades que en estado latente habitan dentro de su alma. La plenitud simboliza nuestra cara aún en potencia, "nuestro hermano de la luz que aunque aún no actualizado existe en mí". Representa lo numinoso, lo misterioso y fascinante, por oposición a lo oscuro y siniestro de la sombra.

Todo lo que el sujeto puede llegar a hacer y ser, las virtualidades positivas, configura el complejo arquetípico de la plenitud. Expresa también la voluntad del poder de lo no realizado, que sin embargo por su condición de pura carencia busca realizarse.

Así como la sombra representa lo rechazado, la plenitud expresa lo aún no advenido. En este sentido puede pensarse la plenitud como la reserva de sabiduría de la humanidad, la energía que guarda en su memoria el conocimiento de lo que la especie puede llegar a ser.

Función

La función de la plenitud está ligada a la unión armoniosa y equilibrada y al conducir el proceso de crecimiento y evolución. Es un polo de atracción que moviliza la fuerza constructiva del sujeto. Es la fuente de la energía del amor y la curación. También la plenitud guía el camino de aprendizaje hacia la sabiduría, simbolizada en las imágenes del Anciano Sabio y la Magna Mater. Desde el punto de vista de la filogenia representa la existencia de una dinámica evolutiva aún no acabada y aún viva. Guía las tendencias unitivas integrativas y trascendentes del sujeto.

Palabras claves

La luz, la claridad, lo armonioso, la paz.
"Es posible seguir aprendiendo".
"Siento en mi espíritu tranquilidad y quietud".
"Soy feliz".
"Me siento vivo y quiero seguir creciendo".

Argumento

Es necesario que la vida tenga el sentido de un trabajo de crecimiento, que haga aflorar las latencias que moran en el alma.

Mandato

Para avanzar hay que despertar.

"Sé tú mismo".

"Se vive mientras se crece".

Aspecto positivo

El principal aspecto positivo del arquetipo de la plenitud es el de la capacidad de concreción. Posee voluntad y energía.

Activos y entusiastas. Buscadores permanentes. Amantes de la justicia pero no críticos de los semejantes. Tienen confianza en sus fuerzas, pero como parte de las fuerzas "del todo". Espíritu y visión de cosas en términos de proyecto.

Mansedumbre, equilibrio, entrega.

Aspecto negativo

Tendencia al autoritarismo. Pueden fanatizarse. Exceso de idealismo que impide la concreción. Caen en el orgullo y pretenden exigir a los otros que funcionen de acuerdo con su convicción.

Cuando místicos, pierden su sentido de realidad.

Lección

Aprender a respetar las diferencias. Aprender a conocer nuestras virtualidades y a desarrollarlas respetando los distintos caminos de cada uno.

Conflicto

El conflicto central del complejo de la plenitud es: detención-crecimiento.

Clínica

La personalidad plenitud se caracteriza por un permanente estado de creación de proyectos y desarrollo de actividades. Generalmente dueños de una gran paz interior, pueden verse presas de la agitación y la inquietud al no aceptar la paciencia y la espera para poder alcanzar ciertos objetivos. Esto los lleva a la impaciencia.

Sus estados emocionales prevalentes son, sin embargo, los de seguridad, y de un profundo sentimiento de ganas de hacer. El funcionamiento inarmónico de este complejo lleva al sujeto a la intolerancia, y al desgaste inútil de energía.

Con profundos deseos de integrar en su psiquismo lo que percibe como potencialidades, suele sentir miedo de no poder realizar sus proyectos. En algunos casos se ve presa de la incertidumbre.

Sí Mismo
totalidad, síntesis

Descripción

El sí mismo representa la totalidad de lo psíquico. Aparece como lo que une lo consciente con lo inconsciente, el no-yo con el Yo, lo interno con lo externo. En este sentido, expresa la voluntad de unidad y síntesis del espíritu humano.

Juega un importante rol de articulador de la dinámica anímica. Media entre los diferentes pares antitéticos que componen el alma humana ocupando, de hecho, el lugar de instancia o sujeto sobre el que reposa la labor de regular la compensación de un modo adecuado para el cumplimiento final de los objetivos de la vida.

Jung dice que el sí mismo "puede caracterizarse como una compensación para el conflicto entre lo exterior y lo interior. Esto no vendría mal, en tanto que el sí mismo tiene el carácter de algo que es un resultado, una meta lograda, algo que sólo ha llegado a término poco a poco y que ha llegado a ser experimentado tras largos esfuerzos. De esta manera el sí mismo es también la meta de la vida, pues es la expresión perfecta de la combinación del destino, a lo que llamamos individuo; y no sólo de un único individuo, sino de todo un grupo en el que uno completa a los otros hasta una estructura total".

Función

La función del sí mismo es la de amalgamar, unir en una unidad coherente al todo de los complejos psíquicos, cualquiera que sea su nivel topológico o energético. Por otra parte, es el regulador del sistema de compensación y de oposición de los contrarios antitéticos.

Guía el proceso de individuación del sujeto integrando en un mismo sistema tanto los aspectos más rechazados como sus más luminosos.

Palabras claves
Amalgamar, coordinar, compensar, sintetizar.
"Unir lo diferente".
"Me siento uno".
"Acepto lo bueno y lo malo de mí".

Argumento
La meta de la vida es ser una totalidad armoniosamente integrada y equilibrada.

Mandato
"Ser uno".
"Sólo es posible la realización en la totalidad de lo que eres".

Aspecto positivo
El principal aspecto positivo del sí mismo es su capacidad para saber armonizar los distintos y diversos aspectos que componen al ser humano.
Claridad en las metas. Fraternidad. Capacidad de crear y generar soluciones.

Aspecto negativo
Imposición y forzamiento. No esperar los tiempos adecuados del devenir de las cosas. Autoritarismo por exceso de entusiasmo. Falta de discriminación. No saben estar solos. Se sienten —en ocasiones— el ombligo del mundo. Pueden llegar, por su arrogancia, a desarrollar un carácter que genera mucha resistencia a su alrededor.

Lección
Aprender a trabajar en equipo. Escuchar a los otros y ser uno más. Saber esperar los tiempos propios y ajenos.

Conflicto
El conflicto central del complejo del sí mismo es: unidad-disociación.

Clínica

La presencia del sí mismo es típica en las personalidades con vocación y aptitudes de mando. Muchas veces se encuentran dominados por la impaciencia, la competencia y la sensación de que nada es suficiente. Suelen sufrir de vértigo y de problemas de columna. A veces son torpes en sus movimientos. Su deseo más profundo es unir y reunir. Temen la desorganización, lo desconocido y fracasar en sus proyectos. Pueden desalentarse fácilmente y agotarse por un exceso de responsabilidades. Personalidad de poca capacidad para delegar pero, sin embargo, muy emprendedora.

Algunos pacientes en quienes este complejo actúa muy intensamente en sus aspectos negativos pueden tener síntomas físicos de grandes dolores de cabeza usualmente cíclicos.

Suelen defenderse no admitiendo la contradicción.

Constelaciones arquetípicas

Arquetipo de Dios: representa lo inmutable, inmortal, lo poderoso, la fuente de toda energía de realización. Lo fijo.

Arquetipo del Mal: representa la fuerza de lo que se opone a la realización. El adversario. Ej.: Satán.

Arquetipo de la Gran Diosa Madre: representa lo matricial y generatriz. Expresa lo mutable y cambiante y la permanencia en la transformación. Lo móvil. Ej.: Deméter.

Arquetipo del Anciano Sabio: vinculado al esquema de Dios, representa el saber ancestral que no fue alcanzado por el aprendizaje sino por la revelación. Ej.: Tiresias.

Arquetipo del Incesto: representa la tendencia del hombre a volver al seno del cual partió: la madre, pero también la tierra. Explica las aspiraciones regresivas. Ej.: Edipo.

Arquetipo de Mercurio: representa la sabiduría que está por aflorar. Es una proyección del proceso de individuación.

Arquetipo de Abraxas: representa la unidad de los contrarios en un nuevo nivel de conciencia.

Arquetipo del Milenio: representa la transformación por medio de un holocausto o desastre que es atribuido a la finalización de cada milenio.

Arquetipo de Muerte y Resurrección: representa también una idea de transformación. La muerte del hombre viejo para dar lugar al nacimiento del nuevo. Ej.: Ave Fénix. Ritos iniciáticos en los cuales se simula la muerte del candidato antes de su renacimiento.

Arquetipo de los Ciclos: representa la idea de que todo se reitera cíclicamente y está gobernado por ritmos. Ej.: el año calendario.

Arquetipo de la Creación del Mundo: representa la imago y la creencia del hombre de que en un tiempo pasado el mundo fue creado por los dioses.

Arquetipo del Paraíso Perdido: representa la idea de que en un tiempo pasado el hombre vivía en la plenitud y la felicidad absolutas y que las perdió a causa de un pecado. Ej.: Adán y Eva, Prometeo, etcétera.

Arquetipo del Niño: representa la pervivencia en el hombre de los estratos infantiles de su evolución.

Arquetipo del Salvador: representa el anhelo de la humanidad de que mediante la acción redentora de un ser superior al hombre éste recupere el paraíso perdido. Ej.: Cristo.

Arquetipo de la Unidad: representa el complejo psíquico inconsciente de ser uno, de retornar a la unidad perdida, antes de la experiencia de la torre de Babel.

Arquetipo de la Dualidad: representa lo que está en movimiento, lo que es dinámico, capaz de generar vida nueva.

Arquetipo de la Piedra Filosofal: representa la transformación alquímica del sujeto, su aspiración de inmortalidad y sabiduría.

Arquetipo del Bautismo: representa la regeneración de la vida, un nuevo nacimiento. Una nueva oportunidad de realizarse.

Arquetipo de Afrodita: representa el esquema del amor sensual y la inconstancia.

Arquetipo del Héroe: representa el arquetipo de un hombre elegido para efectuar una misión trascendente.

Segunda parte: Bach

Dr. Edward Bach
1886-1936

"a todos aquellos que sufren,
a todos aquellos que padecen"

Capítulo 1
Volver a Bach

"La esencia de la vida no es perceptible
pues se esconde en el corazón."

BUDA

En la soledad de la campiña, abierto a la percepción de las cosas que la naturaleza enseña, preocupado por el dolor y el sufrimiento de sus semejantes, el Dr. Edward Bach descubrió su sistema floral.

Este sistema "tiene el poder de curar" y su eficacia consiste en que su acción opera sobre las causas reales de la enfermedad: nuestros temores, nuestras ansiedades, nuestros egoísmos, nuestras soledades...

De este modo a lo largo de varios años Bach fue construyendo su jardín de 38 esencias. Y lo que comenzó como una obra personal se ha convertido hoy en un movimiento de significativa importancia dentro de los abordajes terapéuticos alternativos.

Dentro de este marco, ¿qué sentido tiene proponer volver a Bach a casi sesenta años de su muerte?

Son varios los sentidos que justifican esta convocatoria. Por una parte volver a pensar a Bach representa una nueva oportunidad de crecer y aprender. Su obra es como un manantial que siempre aporta luces que iluminan la vida y su significado. Pero por otra parte, en tanto producto humano, el ejercicio de la práctica del sistema Bach va perfilando algunos rasgos que nos parece que se alejan profundamente del espíritu de la letra de Bach.

En primer lugar nos encontramos con el fenómeno de "parcelación". El sistema Bach es una totalidad y como tal hay que tomarlo. Sin embargo, se puede hacer una distinción entre el nivel de fundamentación y el nivel de los remedios que componen el dispositivo floral.

Como sistema constituye una profunda y clara exposición sobre el proceso de evolución del hombre y de la enfermedad como significante que nos revela, con su aparición, los desvíos del sujeto del correcto camino. Del mismo modo establece la función del arte de curar como sostenida en la tarea de ayudar al enfermo a esclarecer dentro de sí las causas reales que originaron su padecimiento, dado que en el conocimiento de estas causas es donde radica la posibilidad de cura eficaz.

En segundo lugar, el sistema Bach es un procedimiento terapéutico consistente en la administración de 38 remedios destinados a aliviar el dolor y elevar la conciencia del enfermo.

Estos dos aspectos están, en la filosofía de Bach, sólidamente soldados y la administración floral es indisociable de la labor de "iluminación" y conocimiento.

Sin embargo, la realidad nos muestra muchas veces otra cosa. Por ejemplo, la administración de las flores con un criterio puramente sintomático, sin la visión holística del hombre y sin el artesanal trabajo terapéutico de apretar filas con el enfermo, para que éste pueda percatarse y conocer cuáles son las causas de los síntomas que sufre.

En tercer lugar, a veces olvidamos que las flores trabajan sobre las potencialidades y virtudes latentes que se deben desarrollar, con el fin de hacer, de este modo, que se vayan eliminando las causas reales de los males, que se logre un mayor contacto con la realidad y que se avance en el proceso de evolución.

En esta perspectiva el tratamiento floral consiste en el despertar la fuerza curativa interior y en un proceso en el cual el hombre va cambiando la visión que tiene del mundo, de sí mismo y de los semejantes. Visión que refleja su salud y su enfermedad.

Que el hombre no tiene enfermedad sino que es enfermo, que la enfermedad no es algo negativo sino un beneficio, que nuestra alma se vale de la enfermedad para hablarnos y hacernos conocer los defectos que hay que cambiar, en esto consiste el aporte de Bach al arte de curar.

Volver a Bach es, entonces, replantear las bases de una práctica terapéutica. Volver a pensar si nuestra práctica se basa en sus principios o si utilizamos sus flores desconociendo o ignorando sus fundamentos y su mística. Volver a Bach implica aprender la lección que nos enseñó: aprender a confiar en la naturaleza y mediante sus recursos, alcanzar la paz y la armonía de nuestra alma y la salud de nuestro cuerpo.

Tal vez esta vuelta a Bach, a diferencia de Jung, acontece en un nivel y una intencionalidad distintos. Basta comparar los textos exis- tentes de Bach con los de Jung para comprender la diversidad de la tarea. Los textos que tenemos de Bach son relativamente breves, pero a falta de extensión la obra de Bach posee una profundidad singular.

En Jung, el buceo intelectual por los repliegues de sus libros, con la finalidad de poder capturar y dar cuerpo a una teoría de lo psíquico compleja y muy ramificada, queda enfrentado a la austeridad de las líneas de Bach sobre las que hay que volver para re-descubrir un mensaje.

Pero la sencillez no significa simplicidad. La brevedad no implica falta de conocimientos. El texto de Bach es un texto de síntesis. En él, su autor trata de plasmar los conceptos y verdades esenciales en una armonía que es fruto de un trabajo preliminar que si bien no aparece explícito está subyacente.

Volver a Bach es intentar descubrir este trabajo, no para imitarlo, sino para entender más acabadamente el porqué de un destino capaz de trasmutar el dolor personal en una misión y un legado para toda la humanidad.

Capítulo 2
El pensamiento floral de Bach

"No pretende este libro sugerir que es innece-
sario el arte de curar [...]"
"[...] que sea una guía para quienes sufren, y
les ayude a buscar dentro de sí mismos el origen real de sus enfermedades para que así
puedan ayudarse a curar."

DR. EDWARD BACH

Para poder comprender el sentido de la obra del Dr. Edward
Bach es necesario partir de los soportes de su concepción del hombre
y del universo.

Al igual que Jung, Bach postula la existencia de una polaridad
básica entre dos instancias: el alma y la personalidad*. El alma es lo
permanente, lo inmortal, la energía esencial, lo trascendente, y la personalidad lo transitorio, lo mortal, el accidente y lo inmanente.

La meta del alma es alcanzar la perfección. Perfección equivale,
en este contexto, a individuación o realización.

El camino para tal fin consiste en el recorrido de un proceso de
evolución que finaliza al alcanzar la perfección.

Este proceso de evolución va desde la falta a la completud, del
error a la verdad, de la ignorancia al conocimiento y del defecto a la
virtud.

Nuestra vida actual no es más que un momento en este proceso,
"un día de colegio". El hombre, para Bach, encarna para obtener co-

* Jung diría: Inconsciente Colectivo y Conciencia.

nocimiento y experiencia y así corregir los defectos, errores o faltas que lo hacen imperfecto. Vivir es entonces una oportunidad de continuar avanzando. Y uno de los instrumentos con que cuenta el hombre para hacer posible este crecimiento de su nivel de conciencia es la enfermedad. Dice Bach: "[...] la enfermedad, en apariencia tan cruel, es en sí beneficiosa y existe por nuestro bien, y si se la interpreta correctamente nos guiará para corregir nuestros defectos esenciales".

Las verdades fundamentales

Las verdades fundamentales son, en la obra de Bach, algo así como sus pilares filosóficos. La importancia capital que les atribuye se hace evidente cuando señala que "para entender la naturaleza de la enfermedad hay que conocer ciertas verdades fundamentales". Y éstas son:

1. El hombre tiene un alma que es su ser real

El alma para Bach tiene una función rectora. Ella dirige y ordena nuestra vida. Pero también es la esencia de lo que somos y su naturaleza "invencible e inmortal" es consecuencia de que ella es una "chispa del Todopoderoso".

Algunos autores vinculan el alma con el Yo superior. Bach la denomina "nuestro Ser Divino", "nuestro Ser Superior", "nuestro Ser Real", de modo tal que acentúa el carácter de *ser* que posee el alma. Esta concepción unida a la convicción bachiana de su naturaleza trascendente nos hace pensar en el concepto de *alma como cosa en sí* que Schelling desarrollara y que seguramente no le era desconocido a Bach.

De un modo u otro el *alma* es para Bach la estructura estructurante de nuestra vida.

Estas mismas particularidades de guía de nuestra evolución, inmortal, en transformación, parte de un todo, etc., son las que definen también el concepto junguiano de inconsciente transpersonal.

2. Somos personalidades y existimos para lograr conocimiento y experiencia

La personalidad es nuestra parte transitoria, la encarnadura que, entre incertidumbre y elección, nos sirve de sostén material en esta vida.

Bach pensaba que esta circunstancia no era arbitraria o casual, ya que si el objeto de nuestro vivir es aprender lo que desconocemos, desarrollar las virtudes que nos faltan, borrar nuestros defectos y lo negativo que atesoramos en nuestro ser, "el alma sabe qué entorno y qué circunstancias nos permitirán lograrlo mejor, y por lo tanto nos sitúa en esa rama de la vida más apropiada para nuestra meta".

3. Nuestra vida no es más que un momento en nuestra evolución

Esta afirmación de Bach implica las ideas de karma y reencarnación. De un modo correlativo estos conceptos se sustentan en la idea de vida como proceso. Así cada "día de colegio" representa un punto de una línea espiralada cuyo principio y cuyo fin se encuentran muy lejanos. El tramo entre el nacimiento y la muerte es nada más que un paso en el camino de la evolución. De modo tal que el hombre no sólo trabaja para esta vida; esencialmente oficia y construye para un proceso que, aunque no pueda recordar, ni conocer, su intuición le señala como real.

4. El conflicto entre el alma y la personalidad es la causa de la enfermedad e infelicidad

La idea de que es un conflicto la causa de la enfermedad es una convicción compartida por muchos autores de nuestro siglo, entre los que destacamos a Freud y a Jung. Bach ubica este conflicto entre el alma y la personalidad. Mientras entre ellas hay armonía sus frutos son la paz, la alegría y la salud. Por el contrario, cuando se precipita el conflicto surge la experiencia de la enfermedad y la infelicidad.

Bach atribuye el motivo del nacimiento del conflicto a "cuando nuestras personalidades se desvían del camino trazado por el alma, o bien por nuestros deseos mundanos o por la persuasión de otros".

5. La unidad de todas las cosas

Para Bach la fuerza creativa del universo es el *Amor* y todo "aquello de lo que tenemos conciencia es en su infinito número de formas una manifestación de ese Amor, ya sea un planeta como un guijarro, un hombre u otra forma de vida".

Todo este mundo creado por el Amor forma un gran sistema, de modo tal que las diferentes partes que lo componen no pueden separarse unas de otras. Esto hace que "cualquier acción contra nosotros mismos o contra otro afecte a la totalidad, pues al causar una imperfección en una parte, ésta se reflejará en el todo".

¿Qué es la enfermedad?

El concepto que Bach tiene de la enfermedad pone de relieve una faceta de los males del hombre que el pensamiento y la ciencia habían olvidado.

Bach hace una revalorización de la experiencia de la enfermedad, colocándola como parte de un proceso y de un proyecto. Sólo si la leemos dentro de esa realidad, aquélla toma cuerpo comprensible.

Sobre esta base diseña una teoría de la enfermedad basada en los siguientes postulados:

**1. La enfermedad no es un mal a suprimir
sino un beneficio a comprender**

Para Bach la enfermedad es beneficiosa. ¿En dónde radica el beneficio? En el hecho de que el dolor, el sufrimiento, el malestar sirven de señales que nos indican la necesidad de aprender una *lección* "que de otro modo nos habría pasado desapercibida y que no puede erradicarse mientras que no se aprende la lección" (Bach).

La enfermedad es una oportunidad de vida. No es algo negativo sino que es la expresión manifiesta de un defecto a corregir para seguir avanzando en el proceso de evolución hacia la meta de la perfección.

Vista así, la enfermedad podría concebirse como parte de la estructura ontológica del hombre. La enfermedad no es un sobreagregado; no se *tiene* enfermedad: se *es* enfermo. La enfermedad es, entonces, un modo de develamiento del Ser, de sus partes oscuras y rechazadas. Y esto es importante pues al poner a la luz nuestras partes imperfectas nos obliga a la completud, a integrarnos y crecer.

2. La enfermedad es consecuencia de un conflicto

La enfermedad es el fruto de un conflicto entre el alma y la personalidad. El alma representa nuestra orientación trascendente y la personalidad nuestros intereses inmanentes. El conflicto entre estas dos orientaciones representa la lucha entre la voluntad de transformación y la voluntad de conservación.

El hombre, en tanto vive, vive en situación de conflicto. La inexistencia de conflicto es un ideal que no se compadece con la realidad. Sin embargo, la vía de resolución del antagonismo entre las instancias del alma y la personalidad consiste en la sujeción de esta última a los dictados y el plan de vida de la primera.

3. La enfermedad es producto de la acción de factores personales y transpersonales

La enfermedad es también resultado de la combinación de causas personales y transpersonales. Los factores personales son el egoísmo y el aislamiento; es decir, el ejercer una acción contraria o cruel hacia los otros y la tendencia a la disociación. Dentro de los transpersonales incluimos la acción karmática y la influencia negativa de los semejantes debida al hecho de la ligadura que nos une a ellos por formar parte de una misma red.

Con respecto a los factores personales Bach dice: "[...] la disociación entre nuestra alma y nuestra personalidad y el mal o la crueldad frente a los demás [...] cualquiera de estas dos cosas da lugar a un conflicto que desemboca en la enfermedad".

Con respecto a los transpersonales vale la pena subrayar que el alma viene a esta encarnadura con un pasado previo de vidas anteriores y que desde este espacio ciertas determinaciones actúan como factores predisponentes a la emergencia de síntomas específicos. Sin caer en la aseveración de "la enfermedad como karma" es necesario, y Bach lo hace, dar un lugar a esta serie etiológica en la causa efectiva de los padeceres humanos.

4. La enfermedad no es material en su origen

El origen de la enfermedad no hay que buscarlo, para Bach, en el campo donde aparece. "Lo que nosotros conocemos como enfermedad es el último resultado producido en el cuerpo, el producto final de fuerzas profundas y duraderas [...]". Las enfermedades son defectos, como el orgullo, la crueldad, el odio, el egoísmo, la ignorancia, la inestabilidad y la codicia. Detrás de cualquier síntoma físico o psíquico que el hombre pueda sufrir, se encuentran algunos de estos defectos que son su causa subyacente.

5. En la enfermedad no hay nada accidental

Para Bach el modo y la manera en la cual una enfermedad se manifiesta, el órgano o la función que se afecta no deben verse como obra de la casualidad, sino de la causalidad. Esto tiene como consecuencia pensar en los síntomas de la enfermedad como significantes de una trama de significados, como señales que expresan simbólicamente la naturaleza del defecto que es causa y sostén del dolor actual. Así, por ejemplo, la soledad, los diálogos internos, las ideas torturantes tienen que ver con el odio; los dolores son expresión de la crueldad, etcétera.

Dentro de este marco, los síntomas de una enfermedad son signos que indican el ajuste o no al sendero que conduce al alma por el "recto camino de la evolución".

¿Cómo curar la enfermedad?

El enfoque terapéutico creado por el Dr. Bach tiene la doble condición de ser holístico y clínico. Holístico, porque su estructura responde a una concepción preliminar e integral del hombre y de su relación con el universo, y clínico, porque Bach brinda enfoques e instrumentos de trabajo orientados a cumplir con los objetivos del tratamiento floral, que son: aliviar el dolor, concientizar, introvisionar e individuar.

• *Aliviar el dolor* es un objetivo básico de todo tratamiento floral. Sin embargo, no hay que perder de vista el hecho de que el paciente debe aprender el sentido de su dolor para que éste adquiera valor terapéutico.

Aliviar el dolor debe ser, entonces, no suprimirlo sino ayudar a comprender el significado de la lección que él enseña.

• La *concientización* es el proceso de amplificación o ensanchamiento de los bordes actuales de la conciencia; es decir, un enriquecimiento de la conciencia a expensas de lo desconocido, lo no advertido e inconsciente. Esta tarea implica no sólo un registro intelectual del "darse cuenta", sino una vivencia que acompaña el conocimiento mental.

La concientización trae como resultado la mejor comprensión de la situación presente, del sentido de los síntomas y la percepción de los caminos que hay que recorrer y de los que hay que evitar para alcanzar la meta de la cura.

• Lo concientizado es necesario que sea puesto en la perspectiva histórica. Es decir, que el paciente comprenda que esto que le pasa hoy es fruto de un devenir. Totalizar la toma de conciencia en función de una experiencia global de vida. En esto consiste el proceso de *introvisión*.

• Esta introvisión tiene como fin lograr en el sujeto una mayor identidad, una mejor diferenciación y en última instancia, la singularización de la vida en relación a un proyecto, que se extiende al futuro. En esta perspectiva, la terapia floral apunta a sostener e incrementar el proceso de *individuación*.

Los fundamentos de este enfoque pueden ser sistematizados en los siguientes puntos:

1. La prevención y curación de la enfermedad se logra descubriendo lo que la causa y erradicando el defecto con el recto desarrollo de la virtud opuesta.

2. No se debe tener en cuenta la naturaleza de la enfermedad sino al paciente que la porta. "No nos fijemos en la enfermedad, pensemos sólo en cómo ve la vida el enfermo" (Bach).

3. La cura debe estar orientada a reestablecer la armonía entre el alma y la mente; a eliminar la verdadera causa de la enfermedad y, finalmente, a la utilización de los medios físicos necesarios para completar la curación.

Este planteo de Bach establece una prevalencia: la primera tarea del profesional del arte de curar será ayudar al paciente a conocerse y descubrir los motivos de su enfermedad y, en segundo lugar, la administración de los remedios que lleven al cuerpo y a la psiquis a "recobrar fuerza [...] serenarse" (Bach).

4. La salud de la humanidad depende de la comprensión, por parte de los hombres, de los principios que rigen el universo. De este modo, el terapeuta deberá "ayudar a los que sufren a conocer esta verdad e indicarles los medios por los que podrá conseguir la armonía" (Bach).

5. El criterio de curación no debe ser la eliminación de síntomas, sino el cambio de perspectivas del sujeto enfermo, la recuperación de su paz mental y la felicidad interna.

Los remedios florales

Los treinta y ocho remedios florales descubiertos por Bach son el instrumento que brinda la naturaleza para ayudar al hombre, tanto en su dolor como en la búsqueda de la verdad.*

Estos remedios que se vinculan a treinta y ocho estados emocionales actúan "elevando nuestras vibraciones y abriendo nuestros canales para la recepción del Ser Superior; para inundar nuestra naturaleza con la virtud particular que necesitamos y borrar los defectos que causan el dolor".

Se trata de "remedios" energéticos naturales y eficaces. Inocuos en el sentido de que no causan daño alguno al sujeto, pero su toma produce la movilización del mundo emocional, la captación de información externa o interna que se desconocía, la aparición de sentimientos hasta ese momento sofocados, vivencias y percepciones nuevas, etcétera.

De modo tal que convocar una emoción por medio de las flores es una experiencia que debe hacerse en el marco de una contención adecuada.

Al respecto, en otro libro hemos señalado que:

"Hay dos niveles complementarios en la terapéutica creada por el Dr. Bach. El primero es el que corresponde a la administración de los preparados florales de acuerdo con el estado emocional prevalente del paciente.

El segundo se refiere al trabajo de conocimiento de las causas reales de la enfermedad y del aprendizaje de la lección que el sufrimiento nos enseña 'en el proceso de evolución hacia la perfección y la armonía'.

En ambos casos, pretender ser uno el propio terapeuta, no es aconsejable. Es muy difícil ser juez y parte, y aunque el sistema Bach es un sistema sencillo y claro, las emociones del hombre conforman un mundo complejo y de gamas muy variadas. El acceso a su comprensión, la precisión en el diagnóstico correcto, requiere el arte de un especialista preparado y capacitado para indagar en los repliegues del alma humana.

Por otra parte, si el objetivo básico de la terapéutica de Bach es ayudar al enfermo para que pueda conocer y entender el sentido de sus síntomas como señales de una causa profunda, la conciencia patológica

---

* "La búsqueda de la verdad es todavía la forma de rebelión más grande y más sensata." Nietzsche.

que acompaña la enfermedad difícilmente pueda ver con claridad aquellos caminos que lo conduzcan a la cura verdadera.

La curación es un proceso de aprendizaje que requiere un 'maestro' que nos ayude a liberarnos de las ataduras de imperfección y defecto que representa la enfermedad. Las flores —como señalara Bach— no vienen a sustituir el 'arte de curar'."*

---

* *Las Flores de Bach en la Argentina,* Ed. C.A.E.C.A., 1988.

Capítulo 3
Los grupos emocionales

"La enfermedad es, indudablemente, una forma del rencor.
Nada consume tanto y tan pronto como el rencor. El despecho, la susceptibilidad enfermiza, la impotencia para vengarse, la envidia, el odio insaciable son verdaderos, terribles venenos, y para el ser agotado constituyen unos peligrosos reactivos.
Todos los que se callan son dispépsicos."

F. NIETZSCHE, *Ecce Homo*, 1888

El Dr. Edward Bach ordenó el complejo mundo emocional del ser humano en siete grupos arquetípicos. Cada uno de estos grupos incluye varias y distintas reacciones vivenciales.

Estas emociones sirven de guía para el adecuado trabajo de prescripción de aquellos remedios florales que "ayuden al cuerpo físico a recobrar fuerzas y ayuden a la mente a serenarse, a ensanchar su campo y a buscar la perfección, trayendo paz y armonía a toda la personalidad".

No hay que perder de vista lo que Bach entiende que es cada emoción. Porque así como cuando nos habla de ignorancia no piensa que se trata de la falta de conocimientos, sino de la incapacidad para aprender de la experiencia, cada vivencia afectiva, cada modo como el hombre ve el mundo, encuentran en el pensamiento de Bach una manera original de ser definidos.

Los grupos emocionales

El Dr. Bach ordenó las diversas vivencias arquetípicas en siete grupos emocionales. Cada uno de ellos expresa un modo particular que tiene el hombre de enfrentar la vida.

Estos grupos son:

Remedios para los que sienten temor
Remedios para los que sufren de incertidumbre
Remedios para los que no tienen interés por lo actual
Remedios para los que sienten soledad
Remedios para los hipersensibles
Remedios para los que están desesperados y abatidos
Remedios para los que sufren por los otros.

Remedios para los que sienten temor. En este grupo se encuentran flores para todas las gamas del miedo. Cada uno de nosotros, en mayor o menor grado, atravesamos alguna vez por este sentimiento. Incluso en aquellos que dicen no temer nada, se esconde en lo profundo, en lo inconsciente, alguna forma de miedo. Conocer y procesar los miedos nos hace fuertes, nos da coraje frente a la vida y nos permite desarrollarnos mejor como adultos. Incluye las siguientes flores: *Rock Rose, Mimulus, Cherry Plum, Aspen* y *Red Chestnut.*

Remedios para los que sufren de incertidumbre. Es el grupo de todos aquellos que postergan el camino de la vida porque no están seguros de sus recursos y potencialidades. No se atreven, no creen en sí mismos, no saborean la vida, apuestan al fracaso antes de empezar, se arreglan para sabotear la toma de decisiones dejando que la opinión ajena intervenga en sus vidas. Muchas veces su falta de entusiasmo los convierte en seres opacos. Incluye las siguientes flores: *Wild Oat, Cerato, Scleranthus, Gentian, Gorse* y *Hornbeam.*

Remedios para los que no tienen interés por las presentes circunstancias. En este grupo la característica sobresaliente es la falta de interés por la situación que llega a veces a la apatía. El mundo emocional, en este caso, no permite observar la vida en forma global y comprometida, sino sectorizada; bajo esta perspectiva las personas, presas de esta emoción, parecieran —metafóricamente— encontrarse "al margen de sus vidas". Incluye las siguientes flores: *Clematis, Honey Suckle, Wild Rose, White Chestnut, Olive, Mustard* y *Chestnut Bud.*

Remedios para los que sienten soledad. Para aquellos que por diferentes razones se sienten aislados, algunos por temor a involucrarse, otros por excesiva preocupación por estar siempre muy acompañados, tratando de llenar de este modo sus vidas. Bajo esta emoción es como si la vida pasara de costado, como si la persona se encontrara imposibilitada de ser protagonista de su vida. Incluye las siguientes flores: *Water Violet, Impatiens* y *Heather.*

Remedios para hipersensibles. Este grupo utiliza diferentes máscaras para sobrellevar sus penas, postergándose cada día, provocando mucha dificultad en las relaciones interpersonales, armando situaciones engañosas que cubren la realidad, bloqueando la posibilidad de vínculos placenteros y positivos. Incluye las siguientes flores: *Agrimony, Centaury, Walnut* y *Holly.*

Remedios para los que están desesperados y abatidos. El factor común de este grupo es la desesperación, la imposibilidad de salir de un estado paralizante y doliente, que los ata en un circuito sin fin, en un proceso de involución y destrucción. Incluye las siguientes flores: *Larch, Pine, Elm, Sweet Chestnut, Star of Bethlehem, Willow, Crab Apple* y *Oak.*

Remedios para los que sufren por los otros. En este caso nos encontramos con personalidades muy estructuradas que ante cualquier circunstancia o persona que atente contra sus opiniones altera y potencia sus síntomas. Susceptibles e hiperpreocupados por los actos, pensamientos y decires de los otros, preocupación que tiene por finalidad evitar pensar en ellos mismos. Incluye las siguientes flores: *Chicory, Vervain, Vine, Beech* y *Rock Water.*

Chakras y Flores

Seguramente, al pensar sus grupos emocionales, Bach tuvo en mente el modelo energético de los chakras. Cabe recordar que los chackras son centros o vórtices de la estructura sutil de los seres vivos.

Etimológicamente chakra deriva del sánscrito *shak* que podría traducirse como "ser capaz de..." y de la raíz *kram* que significa "moverse". Conceptualmente los definimos como las organizaciones energéticas del hombre que, actuando por niveles y planos, rigen el funcionamiento de su conducta, sus órganos y sus glándulas.

Sin embargo, la relación existente entre grupos emocionales y chakras no es una relación lineal de uno a uno. Por el contrario, una misma emoción aparece bajo configuraciones diversas, vinculada a distintos vórtices energéticos.

Si tomamos el miedo como ejemplo, podemos establecer las siguientes equivalencias:

Chakra	Miedos	Flores
Muladhara	temor a la muerte, al daño físico	Mimulus - Aspen - Rock Rose - Cherry Plum
Swadhistana	temor al qué dirán, al hablar en público, miedo a estar solo, a no ser apreciado y aprobado	Mimulus
Manipura	temor al rechazo, temor a la insatisfacción	Mimulus - Agrimony
Anahata	temor a la pérdida de dinero, pareja, trabajo, etc.	Mimulus
Vishuddha	temor al cambio, pánico	Rock Rose
Ajna	temor a ser espontáneo, temor a las exigencias del presente	Mimulus - Larch
Sahasrara	temor al caos, temor a los obstáculos de la realización personal, miedo a ser	Cherry Plum - Aspen - Red Chestnut

Capítulo 4
Las causas reales
de la enfermedad

"Debajo de las enfermedades subyacen nuestros temores, nuestras ansiedades, nuestras concupiscencias, nuestros gustos y fobias."

EDWARD BACH

Bach propone un plan de trabajo terapéutico de los enfermos que aborde sus causas reales como modo único de llegar a una solución radical de los padecimientos. Estas causas básicas son los defectos o faltas del alma.

Estos defectos ponen en evidencia el carácter imperfecto del ser humano y son el substrato final de toda enfermedad. Bach realizó dos formulaciones sobre este tema. En una, organizó los defectos en siete, y en otra, en doce.

Ya sea en una u otra versión, los fundamentos de la teoría de los defectos y virtudes mantienen a lo largo de toda la obra de Bach las mismas postulaciones acerca de su naturaleza y carácter, y de su función.

1. Los siete defectos

En su libro "Cúrate a tí mismo" Edward Bach habla de las "primeras enfermedades reales del hombre": el orgullo, la crueldad, el odio, el egoísmo, la ignorancia, la inestabilidad y la codicia.

Todos y cada uno de ellos representan una tendencia opuesta y adversa a la Unidad y constituyen auténticas enfermedades que, cuando se consolidan en el sujeto, adquieren continuidad y persistencia y terminan por manifestarse en los más diversos síntomas patológicos.

Orgullo

Se trata, en este caso, de un defecto que nace de varias fuentes. "[...] en primer lugar a la falta de reconocimiento de la pequeñez de la personalidad y de su absoluta dependencia del alma, y a no ver que los éxitos que pueda tener no se deben a ella sino que son bendiciones otorgadas por la divinidad interna; en segundo lugar, se debe a la pérdida del sentido de proporción, de la insignificancia de uno frente al esquema de la Creación" (Bach).

La palabra clave del orgullo: yo solo puedo.

Su lección: aprender a respetar y comprender la fragilidad del hombre frente al universo.

Virtud complementaria: la humildad.

Bach señala que "si nos asalta el orgullo tratemos de darnos cuenta de que nuestras personalidades no son nada en sí mismas, incapaces de hacer nada bueno o de hacer un favor aceptable o de oponer resistencia a los poderes de las tinieblas, si no nos asiste esa Luz que nos viene de arriba, la luz de nuestra alma".

Crueldad

La crueldad es una falta del alma que consiste en "la negación de la unidad de todos y un no lograr entender que cualquier acción contraria a otra se opone al Todo, y es por lo tanto una acción contra la unidad" (Bach).

La palabra clave de la crueldad es: no me importa hacer daño al semejante.

Su lección: aprender a ver lo bueno en los otros.

Virtud complementaria: la compasión.

Bach señala: "[...] en toda alma viviente hay algo bueno, y que en los mejores de nosotros hay algo malo. Buscando lo bueno en los demás, incluso de quienes primero nos ofendieron, aprenderemos a desarrollar, aunque sólo sea, cierta compasión, y la esperanza de que sepan ver mejores caminos [...]".

Odio

Bach define el odio como lo contrario al amor, "el reverso de la ley de la creación". En este sentido el concepto de amor de Bach es el ser esta virtud la base de toda la creación, de modo tal que el odio es un sentimiento destructivo, "que sólo lleva a acciones y pensamientos adversos a la Unidad y opuestos a los dictados por el amor" (Bach).

La palabra clave del odio: lo quiero destruir.

Su lección: aprender a amar. Aprender que el amor genera amor; el odio, odio.

Virtud complementaria: amor y entrega.

Al respecto Bach dice: "La conquista final de todos se hará a través del amor y el cariño y cuando hayamos desarrollado lo suficiente esas dos cualidades, nada podrá asaltarnos, pues siempre estaremos llenos de compasión [...] Debemos esforzarnos por aprender a amar a los demás, empezando quizás por un individuo o incluso un animal, y dejando que se desarrolle y se extienda ese amor cada vez más, hasta que sus defectos opuestos desaparezcan automáticamente."

Egoísmo

Este defecto también es una forma de negar la unidad. Bach hace hincapié en que nuestros deberes con los semejantes son "[...] el no anteponer nuestros intereses al bien de la humanidad y al cuidado y protección de quienes nos rodean".

La palabra clave del egoísmo: yo estoy primero.

Su lección: aprender a olvidarnos de nosotros poniendo nuestra energía en una actitud de servicio.

Virtud complementaria: dar.

Bach señala: "La cura del egoísmo se efectúa dirigiendo hacia los demás el cuidado y la atención que dedicamos a nosotros mismos [...]"

Ignorancia

La ignorancia no consiste en la falta de conocimientos sino en la incapacidad para aprender; "[...] es el fracaso en el aprendizaje, el negarse a ver la verdad cuando se nos ofrece la oportunidad [...]" (Bach).

La palabra clave de la ignorancia: no necesito aprender nada nuevo.

Su lección: no temer a la experiencia del cambio que conlleva el aprender.

Virtud complementaria: sabiduría.

"Para acabar con la ignorancia, no hay que temer a la experiencia pero hay que hacerlo con la mente bien despierta y los ojos y oídos abiertos para captar cualquier partícula de conocimiento que pueda obtenerse. Al mismo tiempo debemos aprender a mantenernos flexibles de pensamiento [...]"

Inestabilidad

La inestabilidad, la indecisión y la debilidad surgen en el hombre cuando se niega a dejarse gobernar por su alma, "que nos lleva a traicionar a los demás por culpa de nuestra debilidad. Tal condición no sería posible si tuviéramos en nosotros el conocimiento de la divinidad inconquistable e invencible que es, en realidad, nuestro ser" (Bach).

La palabra clave de la inestabilidad es: no tengo confianza en mí.

Su lección: aprender que siempre es mejor actuar que dejar pasar las oportunidades.

Virtud complementaria: la fuerza.

Bach dice: "Debemos ser firmes en la determinación de vencer", y por sobre todas las cosas no hay que perder de vista que la vida no nos propone experiencias que nuestra alma no esté en condiciones de poder enfrentar.

Codicia

El defecto de la codicia es, en última instancia, un deseo profundo de poder. "Es una negación de la libertad y de la individualidad de todas las almas. En lugar de reconocer que cada uno de nosotros está aquí para desarrollarse libremente en su propia línea según los dictados del alma solamente, para mejorar la individualidad y para trabajar con libertad y sin obstáculos, la personalidad codiciosa desea gobernar, moldear y mandar [...]" (Bach).

La palabra clave de la codicia: disfruto del poder de dominar.

Su lección: aprender a respetar la identidad y la libertad del semejante.

Virtud complementaria: respeto.

Dice Bach: "Cualquier deseo de control, o deseo de conformar la joven vida por motivos personales es una forma terrible de codicia y no deberá consentirse nunca [...]"

2. Los doce defectos

El Dr. Edward Bach formuló, además de los defectos citados anteriormente, otra versión del mismo tema. En el siguiente cuadro se indica la cualidad, el defecto y el remedio floral que ayuda al propósito de potenciar la cualidad necesaria para compensar cada uno de los defectos.*

Defecto	Flor	Virtud
Coerción/Posesividad	Chicory	Amor
Miedo	Mimulus	Benevolencia
Desasosiego	Agrimony	Paz
Indecisión	Scleranthus	Estabilidad
Indiferencia	Clematis	Afabilidad
Debilidad	Centaury	Fortaleza
Duda	Gentian	Comprensión
Hiperentusiasmo	Vervain	Tolerancia
Ignorancia	Cerato	Sabiduría
Impaciencia	Impatiens	Perdón
Terror/Pánico	Rock Rose	Coraje. Valor
Pesar	Water Violet	Alegría

* La traducción de este cuadro del original estuvo a cargo de la Lic. Alicia Pesado.

Capítulo 5
Las lecciones florales

"El amor con todos sus matices, no es ni más ni menos que el rasgo marcado directamente sobre el corazón del elemento gracias a la convergencia psíquica del Universo sobre sí mismo."

P. T. DE CHARDIN

La propuesta filosófica del sistema Bach apunta a posibilitar en el sujeto el aprendizaje de *lecciones de vida*, que una vez incorporadas, permiten el crecimiento personal, el avanzar en el proceso de evolución y, al mismo tiempo, el eliminar las causas reales de la enfermedad.

Las lecciones son experiencias arquetípicas que se actualizan en el curso del devenir. En este sentido pueden ser concebidas como esquemas universales de organización del espíritu humano que todos los hombres deben atravesar en su camino rumbo a la individuación.

Aprender una lección no significa captación o elucidación intelectual. Implica, por cierto, un conocimiento que debe ser acompañado no sólo por la emoción concomitante, sino también por la transelaboración que conduce al cambio conductal. Las modificaciones de comportamientos por sí mismas, sin la transformación estructural, no implican la asimilación de una lección. El punto de referencia debe ser siempre una modificación profunda en el modo como se mira el mundo.

Las emociones se repiten en tanto el sujeto fracasó en el aprendizaje de la lección correspondiente, y su reiteración representa la voluntad y la esperanza del alma por alcanzar un nivel mayor de perfección.

Lecciones Base

Recorrer el *jardín floral* enseña, a quien lo camina, tres grandes lecciones: la lección del amor, la lección de la unidad y la lección del saber. Tanto el amor, como la unidad y como el saber son metas a conquistar en el proceso de evolución y constituyen la esencia de la perfección. Son dones que faltan al hombre por el simple hecho de estar encarnado, y en tanto faltan, plantean la tarea de trabajar y crecer para alcanzar una mayor completud.

El dar (amor), la síntesis (unidad) y el conocimiento (saber) son las tendencias u orientaciones que las flores ayudan a expandir. Tomar las flores permite avanzar en esta dirección.

Estas tres lecciones, que vamos a llamar *lecciones base* están representadas por las flores *Holly* (la lección del amor incondicional); *Star of Bethlehem* (la lección de la unidad en la diferencia) y *Chestnut Bud* (la lección de la verdad como aquello que le falta al conocimiento para ser saber).

Lecciones Maestras

Las lecciones base definen el sistema floral Bach como una totalidad y aluden a experiencias de aprendizaje comunes a todos los seres humanos, como objetivos del proceso de evolución.

Sin embargo, es conveniente pensar que cada sujeto debe aprender lecciones particulares en su condición de ciudadanos del mundo y en "este día de colegio" que les toca vivir.

Estas lecciones están asociadas a flores y definen un perfil de conocimientos a asimilar. Representan tendencias dominantes del mundo vivencial del sujeto, pero no deben ser entendidas como caracterológicas en el sentido de tipos psíquicos, sino más precisamente como "saberes arquetípicos" que expresan el argumento central de una vida y que se manifiestan en un modo de conducta singular. Así, por ejemplo, cuando hablamos de un tipo *Oak* no interesan tanto sus rasgos psíquicos, como marcar cuáles son las virtudes que debe desarrollar.

Suele llamarse a estas lecciones *lecciones maestras*, tanto por su significado pedagógico como en el sentido de que son llaves que abren todas las puertas del alma y la historia de una persona.

Representan, al igual que las lecciones base, además de estados emocionales, estructuras arquetípicas de relación del sujeto con el mundo, con sus semejantes y consigo mismo.

Con alguna razón, varios autores mencionan y destacan 16 flores maestras o caracterológicas que son:

Agrimony, la lección del ser y el parecer.
Centaury, la lección del dar sin someterse.
Cerato, la lección de confiar en el propio juicio.
Chicory, la lección del amar sin poseer.
Clematis, la lección de afirmar la identidad en el presente.
Heather, la lección de poder estar solo y escuchar al otro.
Impatiens, la lección de ser paciente.
Larch, la lección de que la vida no nos propone ninguna tarea que no podamos enfrentar.
Mustard, la lección de ser capaz de aprender en la oscuridad.
Oak, la lección de entregarse al fluir de la vida.
Pine, la lección de tomar responsabilidades en libertad.
Rock Water, la lección de permitirse ser y disfrutar.
Scleranthus, la lección de decidir con claridad e integrar polaridades.
Vervain, la lección de renunciar a todo fanatismo.
Vine, la lección de no ser dominantes y autoritarios.
Water Violet, la lección de aprender a reconocer nuestra esencia.

Lecciones Acompañantes

Existe una doble lectura para determinar las flores llamadas acompañantes. Por una parte, si consideramos flores maestras a las mencionadas anteriormente, el resto de las flores serían acompañantes del proceso de evolución. Pero si pensamos que todo depende de la particular necesidad de aprender que tenga en esta vida un sujeto, cualquier flor puede ser entonces maestra.

Sin embargo, es conveniente subrayar que existen flores que, en un nivel que trasciende la dinámica clínica, poseen un carácter marcadamente arquetípico.

Estructura de la lección floral

Las flores actúan sobre la estructura energética del sujeto. Desde allí ejercen su influencia en lo psíquico y lo físico.

Edward Bach explica la acción de las flores diciendo que:

"La acción de estos remedios es elevar nuestras vibraciones y abrir canales para la recepción del Ser Espiritual; para inundar nuestra naturaleza con la virtud particular que necesitamos y borrar los defectos que causan dolor. Son capaces, al igual que la música hermosa o cualquier otra cosa de elevación gloriosa que nos da inspiración, para elevar nuestra naturaleza interna y acercarnos a nuestras almas, de darnos paz y aliviar nuestros sufrimientos. Curan, no atacando la enfermedad, sino inundando nuestros cuerpos con las vibraciones de nuestra naturaleza superior, en presencia de la cual la enfermedad se disipa como la nieve al sol. No hay curación real a menos que haya un cambio en la perspectiva con la cual el hombre ve el mundo, que da el logro de la paz y de la felicidad interna."

Este cambio de perspectiva se produce cuando el sujeto es capaz de comprender el argumento que rige su vida, el mandato que produce su enfermedad y la lección que debe aprender para erradicar la causa real de sus males.

De este modo, la estructura de la lección floral es una virtud que compensa el defecto que causan los desbordes emocionales, padecimientos y síntomas del sujeto. Comprendiendo y asimilando la luz (virtud) que hay que desplegar y la sombra (defecto) que hay que eliminar y suprimir, el hombre sana, su conciencia se eleva y alcanza paz y felicidad.*

---

* "Vivamos de modo que deseemos vivir eternamente." Nietzsche.

Capítulo 6
Estructura, dinámica
y expresión florales

"Al tratar los casos con estos remedios, no se tiene en cuenta la naturaleza de la enfermedad: se trata al individuo, y al mejorar éste se va su enfermedad, expulsada al mejorar su salud."

DR. EDWARD BACH

Las flores curativas poseen el poder de ayudar a preservar o reestablecer la salud. Constituyen una significativa síntesis de energías naturales y "se encuentran allí para extender una mano solidaria al hombre en aquellas horas oscuras de olvido cuando se aparta de su Divinidad y permite que la nube de miedo o dolor oscurezca su visión" (Bach).

Cada flor del set se corresponde y simboliza una cualidad emocional o vivencia, y su función es potenciar las virtudes necesarias para que la personalidad se aleje de la enfermedad, elimine los bloqueos y coloque al sujeto en la senda de la creatividad.

Hemos seleccionado para este capítulo el tratamiento de algunas de ellas que se vinculan muy especialmente, aunque no de forma excluyente, con lo que hemos llamado *instancias arquetípicas*.

Así, por ejemplo, el *Agrimony* está vinculado con la *máscara* y la experiencia clínica indica que su toma permite al sujeto trabajar muy profundamente sobre este complejo arquetípico. Sin embargo, se trata del núcleo significativo, que no deja de lado el hecho de que otras flores puedan actuar en diferentes niveles de la dinámica y la estructura de la máscara.

También nos pareció prudente exponer sistemáticamente las flores que representan las tres lecciones que hemos llamado base.

De modo tal que en este capítulo se estudian las siguientes flores: *Agrimony, Holly, Star of Bethlehem, Chestnut Bud, Cherry Plum, Chicory, Vine, Rock Water* y *Wild Oat*.

El modo de presentación elegido para el análisis de cada flor
guarda similitud con el usado para el capítulo simétrico de arquetipos.*

Agrimony
Agrimonia

Descripción

Personas que se manifiestan de un modo habitual con buena cara
y buen humor, más allá de las circunstancias adversas que estén viviendo. Evitan las discusiones e inclusive renuncian a sus propias convicciones o silencian sus afectos con la única finalidad de evitar peleas.

Ocultan sus preocupaciones y dolores y desarrollan una máscara
que cubre inquietudes y sinsabores, frustraciones y esperanzas.

No se muestran como son. Su actitud es de falsa alegría. Cuando
se enferman no dan importancia a los dolores y molestias que pueden
sentir. Prefieren no estar solos.

Función

Ocultar y proteger. Esta doble dirección está vinculada, por una
parte, al encubrimiento del mundo interno del Yo para que no aparez-
ca tal cual es; pero, al mismo tiempo, sirve al sujeto para cuidarse de
las adversidades de la vida de relación y tener vínculos eficaces. Hace
ver la realidad "color de rosa".

Palabras claves

Ocultar, tapar, cubrir, proteger, enmascarar.

"Sufro por dentro pero no lo demuestro".

"No expreso el malestar para evitar confrontaciones".

"Si digo lo que pienso se van a enojar y me van a dejar de querer".

---

* El estudio de las treinta y ocho flores, del remedio de rescate, así como de las fórmulas usadas para cada situación tipo, puede encontrarse en el libro que se publicará en
breve y que lleva por título: *Clínica Floral. Ver la vida de un modo diferente*, de los mismos autores y editado por Continente.

Argumento

Siempre es preferible parecer que ser.

Mandato

No se debe decir lo que se siente o piensa.

Aspecto positivo

Brinda protección al sujeto en su mundo de relación. Preserva la intimidad. Personalidades formales y cumplidoras. Alegres y amantes de la paz.

Aspecto negativo

Distorsión de la propia imagen. Miedo a mostrarse a los demás. Dependencia del reconocimiento de los otros. Búsqueda de aprobación. Falta de conocimiento interior. Personalidad atormentada y sufriente.

Lección

Aprender a ser honestos consigo mismos y a mostrarse tal cual son. Aprender a diferenciar el ser del parecer. Aprender a conocerse como realmente se es o como se puede llegar a ser.

Arquetipo

Máscara. Trabaja especialmente los aspectos de adaptación social del sujeto.

Clínica

Ayuda a la integración social a partir del ser. Hace emerger en el sujeto lo rechazado de sí en función de los otros. Ayuda a aceptarse tal cual se es. Elimina el stress, y sirve para alejar al sujeto de comportamientos adictivos.

Reconocimiento de las virtudes y defectos.

Guía

Cuando tiene preocupaciones, ¿las esconde frente a otros?

¿Quita importancia a los problemas que tiene? ¿Evita peleas?

¿Cede o no dice lo que piensa ante otros para evitar discusiones?

¿Se muestra sonriente, aunque por dentro esté angustiado?

Holly
Acebo

Descripción

Personas que se manifiestan de un modo habitual dominadas por envidia, celos, deseos de venganza y desconfianza.

Con temperamento apasionado y fuertemente emotivas, suelen estar sometidas a fuertes sufrimientos a causa de sus intensas vivencias anímicas. Activas y muy reactivas, poco serenas.

Del mismo modo expresan en su conducta y en sus sentimientos una capacidad de entrega abierta y sin condiciones.

Sin embargo, cuando se dejan dominar por sus aspectos negativos bloquean la expresión de sus auténticos afectos.

Función

Permitir expresar el amor incondicional por medio de las emociones. Proteger al amor de las emociones negativas. Ser sostén del proceso interior del sujeto en su realización personal y en su conexión con sus semejantes. También la función Holly es la de mostrarnos qué tenemos y qué deberíamos tener. Actúa así como una guía o señal del camino que debemos emprender para lograr incorporar aquello que nos falta. Ser un "filtro de amor".

Palabras claves

Odiar, envidiar, celar, sospechar, desconfiar.
"Tengo miedo a ser engañado".
"Me hirió y me voy a vengar".
"No puedo evitar mis celos. Sufro mucho".

Argumento

El amor genera amor; el odio, odio.

Mandato

Si uno se entrega totalmente pierde.
No hay que dejar fluir libremente el amor que se siente.
Hay que endurecer el corazón.

Aspecto positivo

Expresa amor y entrega. Armonía interior. Protege de todo aquello que sea odio. Generosidad. Comparten alegrías de los semejantes. Comprensivo. Capacidad para entender el mundo de los otros.

Aspecto negativo

Expresión de emociones negativas muy intensas. Mal carácter. Tendencia al enojo. Descontento e infeliz. Frustración sin saber por qué. Permanentes quejas de los otros. Agresividad. Miedo a ser engañado. Susceptibilidad. Negativista. Siempre ve el lado oscuro de las situaciones. Con mucha frecuencia se siente ofendido y agredido. Desvaloriza y subestima a los otros. Vehemente. Inseguro. Angustiado.

Lección

Aprender a dejar fluir el amor incondicional. Hacer de esta emoción la razón de la existencia. Desechar todo aquello que aleje de la entrega. Aprender el poder del amor como transformador.

Arquetipo

Sí Mismo. También, lógicamente, se encuentra vinculado con el arquetipo de la Unidad, de Dios. Arquetipos de Cristo, Buda, de Redentor.

Clínica

Cataliza al sujeto activo (hace emerger y aparecer los síntomas no visibles y las emociones tal cual son).

Desbloquea y canaliza la energía.

Ayuda a elaborar las emociones negativas.

Da seguridad y confianza en los otros.

Guía

¿Siente celos, rencor, odio, envidia?

¿Desconfía de las personas queridas?

¿Cree que lo engañan?

¿Se siente infeliz?

¿En una situación tiende a ver el lado negativo?

¿Le cuesta valorizar a los otros?

¿Se enoja fácilmente?

¿Se siente frustrado sin saber por qué?

Star of Bethlehem
Estrella de Belén

Descripción

Se trata de personalidades que sufren un estado de depresión y dolor causado por "una gran desdicha momentánea" que le ha producido un shock físico o psíquico.

Un accidente, una muerte repentina, un ataque, son causas capaces de originar una situación traumática; es decir, una magnitud de excitación que el Yo del sujeto no logra elaborar y descargar.

Inundado por esta vivencia de dolor, bloqueados sus sistemas de asimilación y respuesta, el sujeto se paraliza, desintegra o desencaja.

Es importante no perder de vista que el factor traumático que genera el estado Star, en realidad, lo que produce es una reactualización de antiguas experiencias que han quedado registradas como *heridas* en la estructura biopsíquica del sujeto.

Generalmente, las personas Star son bastante disociadas y tienen cierta inclinación al pensamiento mágico. Por otra parte, la clínica demuestra, con sobradas razones, que los Star poseen una fuerte carga kármica.

Son personas poco felices y especialmente renuentes a aceptar consuelo y ayuda en la hora de aflicción. Se encuentran dominados por un fuerte sentimiento de angustia implosiva.

Función

El Star es el gran sellador del sistema energético. Neutraliza los traumas "restaurando rápidamente los mecanismos de autocuración". Permite que los shocks sean elaborados y alivia especialmente los efectos negativos de las vivencias dolorosas y traumáticas, sobre todo, la del nacimiento.

Da paz interior y conecta lo desconectado, posibilitando en el sujeto, la recuperación de la conciencia de unidad y el dominio efectivo de sus actividades y funciones. Da calma frente a la confusión y permite enfrentar situaciones desorganizantes o peligrosas, sin caer en el desgarramiento interior. Restaura, consuela y seda.

Palabras claves

Shock. Trauma. Desgarramiento interior.
"Me siento disociado".
"Me siento desgarrado interiormente".
"No puedo tolerar más lo que pasa dentro de mí".
"Siento dentro de mí una bomba de tiempo".

Argumento

El shock y el trauma no dejan crecer y ser feliz.

Mandato

Cada vez que uno nace no puede evitar el trauma.
Cada situación de la vida es un parto. Hay que reaccionar ante ellas como en el nacimiento.

Aspecto positivo

Permite canalizar adecuadamente las situaciones traumáticas. Gran capacidad de integración. Fuerte sentimiento interior de paz. Gran vitalidad. Claridad mental.

Aspecto negativo

Estado de ensoñación mental. Disociación.
Sentimiento de infelicidad y falta de paz.
Necesidad de ser confortado, pero incapacidad para aceptar el consuelo. Despersonalización. Caída en estado de shock. Pérdida de energía. Automatismos.

Lección

Aprender a atravesar las situaciones traumáticas sin dejar que su fuerza nos dañe o lastime. Aprender a cerrar las ventanas por las cuales se escapa la energía.

Arquetipo

Sí mismo. Al liberarnos de los bloqueos pasados, presentes y kármicos el Star permite desarrollar nuestras potencialidades y unificarnos.

Clínica

Sella el cuerpo energético del sujeto. Integra el psiquismo. Da capacidad de reacción y rápida recuperación. Da fortaleza interior. Ayuda a eliminar los residuos traumáticos que anidan en el sujeto. Es el "confortador y apaciguador de las penas y tristezas" (Bach).

Rompe las cargas kármicas. Permite enfrentar situaciones de accidentes, rupturas, enfermedades y muerte. Da consuelo.

Guía

¿Ha tenido experiencias traumáticas que no ha podido superar?

¿Necesita apoyo y consuelo y no lo puede aceptar?

¿Ha tenido una pérdida reciente, o en el pasado, de la cual no puede reponerse?

¿Se encuentra en estado de crisis?

¿Siente que lo que le está pasando es algo que no puede manejar?

¿Se siente partido, disociado o a punto de explotar?

¿Tiene sueños traumáticos y/o repetitivos?

Chestnut Bud
Brote de Castaño

Descripción

Se trata de personas que repiten errores, a las que les cuesta aprender de la experiencia. Se atascan en el error y no pueden sacar toda la información y las ventajas que da la observación.

Por lo general, tienen dificultades para asimilar las lecciones que la vida enseña y para aprender a aprender.

Sus problemas se centran en el *ver*. Emprenden proyectos que siempre terminan del mismo modo. No logran darse cuenta en dónde está la falla o cómo modificarla.

Tampoco suelen ser felices en sus vínculos sociales. Padecen enfermedades orgánicas que se reiteran periódicamente, dado que en todos los planos de su existencia se encuentran atados a la misma secuencia repetitiva.

Función

Permite procesar las experiencias de la vida. Al estar vinculada con la visión da una gran apertura para capturar la trama oculta o latente de las cosas. Enseña muy especialmente a aprender a aprender, a salir de la ignorancia y a flexibilizarse mentalmente.

Al dar profundidad, conecta muy estrechamente la conciencia con las verdades permanentes y con la estructura que va más allá de lo aparente. Es la flor de la introvisión y la sabiduría.

Palabras claves
Repetir errores. No poder aprender.
"Siempre me pasan las mismas cosas".
"No puedo cortar, no puedo parar de hacer mal las cosas".
"Me cuesta aprender".
"Lo que otros aprenden en seguida, a mí me cuesta mucho".

Argumento
Es mejor no saber.

Mandato
Esto no lo puedes entender.
No tienes cabeza para hacer otra cosa.
No puedes aprender.

Aspecto positivo
Profundidad y capacidad de síntesis. Rapidez en el aprendizaje. Visión ampliada. Percepción de totalidades. Aprender de los errores. Capacidad crítica. Sabiduría en las decisiones.

Aspecto negativo
Repetición de errores. Dificultades en el aprendizaje y la visión o lectura de la realidad. Lentitud mental. Tendencia a olvidar las experiencias negativas. Cuesta aprender de la experiencia de los otros. Bloqueo mental.

Lección
Aprender a no repetir errores. Aprender a no aferrarse al pasado. Pero, fundamentalmente, aprender a ser capaz de captar la trama y las significaciones latentes de las cosas y de la conducta de la gente.

Arquetipo
Anciano Sabio. Conecta al sujeto con los aspectos más profundos de la sabiduría universal.

Clínica

Ayuda a aprender con menor esfuerzo. Da profundidad y claridad. Permite visualizar con nitidez lo importante de lo accesorio. Da flexibilidad mental y riqueza creativa. Aumenta la capacidad para estar conectado con los sucesos y extraer enseñanzas de los acontecimientos.

Se vuelve capaz de ver tanto los propios errores como los ajenos y de obtener lo mejor que da la vida en cada situación.

Muy útil en casos de discapacidades mentales o intelectuales, en niños con dificultades en el aprendizaje o en situación de cambio. También es provechoso su uso en las neurosis histéricas y en las psicopatías, así como en las enfermedades psicosomáticas de naturaleza clínica.

Guía

¿Le cuesta aprender nuevos conocimientos?

¿Es una persona que repite errores?

¿Debe volver sobre lo que hizo porque no observó bien?

¿Es lento para aprender?

¿Suele no darse cuenta de las intenciones de la gente?

¿Tiende a olvidar los hechos o experiencias negativas?

¿Aprende de sus errores?

Cherry Plum
Cerasífera

Descripción

Se trata de personas que viven en el límite del desborde, dominadas por el terror al agotamiento mental, la locura o a que les ocurra algún daño o hecho perjudicial. Fascinadas por lo mismo que temen, suelen sufrir crisis extremas de descontrol.

Son prisioneras del miedo a que fuerzas destructivas surjan de su interior y los dominen.

Muchas veces tienen ideas suicidas. Se resisten a utilizar sus capacidades intuitivas y a realizar una introspección profunda dentro de sí.

A veces parecen como poseídas por un otro interior que las obliga a actos impulsivos y ajenos a la conciencia.

Función

Da coraje para enfrentar lo desconocido. Permite entrar en contacto intenso con los aspectos rechazados y reprimidos del sujeto. De este modo da más libertad, al hacer entrar en diálogo la conciencia con las partes más oscuras del alma.

También ayuda a que el centro del sujeto se expanda, por lo cual es sumamente eficaz en los procesos de iniciación, de apertura de conciencia y al comienzo de tareas de introspección.

Palabras claves

Miedo a la locura. Miedo al descontrol. Miedo a ver dentro de sí.
"Tengo miedo de hacer cosas terribles".
"Tengo miedo de volverme loco".
"Mirar dentro de mí me da terror".
"Me descontrolo".

Argumento

No debemos acercarnos a nuestras partes oscuras. No hay que mirar dentro de sí.

Mandato

Sé loco. No vivas.
Hay que destruirse.

Aspecto positivo

Da coraje para enfrentarse con lo desconocido. Da fortaleza y espontaneidad. Gran capacidad para bucear en el inconsciente. Resistencia al dolor físico y psíquico. Capacidad para avanzar en la transformación interior y espiritual. Gran capacidad para expresar lo visto dentro de sí.

Aspecto negativo

Falta de adaptación. Miedo a uno mismo. Sensación de no poder controlarse. Desesperación. Terror a realizar cosas horribles contra los propios deseos. Temor a que fuerzas negativas se apoderen del Yo. Idea de suicidio. Reacciones emocionales incontroladas como la ira o la agresión.

Lección

Aprender a dejar fluir las emociones y las energías. Aprender a aflojarse y a no tener miedo a las propias partes sombrías.

Arquetipo

Sombra. Se vincula con este arquetipo en sus aspectos más arcaicos de posesión y "estar fuera de sí". Pero, también, con el arquetipo de la *muerte y resurrección,* porque permite al sujeto llegar a sus abismos más profundos para renacer nuevamente.

Clínica

Da libertad, coraje y calma. Integra los aspectos sombra de la personalidad y da confianza en ser capaz de salir renovado del buceo interior.

Equilibra los temores del Yo, y le da mayor aceptación para usar la intuición como modo de conocimiento. Da autocontrol y facilita cambios de conciencia.

Es adecuada en casos de melancolía, neurosis obsesivas graves, ciertas psicosis, casos de posesión —en el sentido psíquico del término—, ideas de suicidio y en toda situación de miedo al desborde o la locura.

Guía

¿Tiene miedo de perder el control y desbordarse?
¿Es impulsivo?
¿Tiene temor a hacerse daño?
¿Tiene miedo de agredir a otros?
¿Siente como si alguna fuerza se apoderara de ud.?
¿Realiza actos automáticos como si fuera otra persona?

Chicory
Achicoria

Descripción

Son personas posesivas y dominadas por un fuerte sentimiento de lástima por sí mismas. Exigen mucha atención y dan amor en la medida en que logren recibir a cambio lo mismo.

Tienen tendencia al control y son absorbentes hasta el punto de quitar libertad al otro y "ahogarlo". Buscan que los otros dependan, para así retenerlos.

Piensan con exceso en las necesidades ajenas y sobreprotegen a las personas amadas, en especial a los niños.

Son grandes "pechos nutricios" que se ofrecen a sus seres queridos como el refugio más seguro. Se trata de un modelo inconsciente aprendido en la infancia.

Función

Nutrir, proteger y cuidar. Estas funciones están asociadas a la actividad Yoica que tiene por finalidad establecer vínculos de amor entre los semejantes. Pero dada la naturaleza de su dinámica esta acción se encuentra condicionada fuertemente por la necesidad de reciprocidad.

Potencialmente fuente de energía y fortaleza interior.

Palabras claves

Posesividad. Demanda constante de amor. Autocompasión.
"No me abandones".
"No me quieres como yo te quiero".
"Dime que me quieres".
"Eres sólo mío".
"Te quiero con la condición de…"

Argumento

Nadie puede darte lo que yo te doy.

Mandato

Yo soy todo lo que necesitas. No hay nada seguro fuera de mí. Vive mientras hagas lo que yo digo.

Aspecto positivo

Nutre en la medida de las necesidades, sin atiborrar. Ama profundamente. Cariñoso, seguro de sí mismo, sentido de cuidado de los otros. Responsabilidad con los seres queridos. Ama a otros incondicionalmente. Permite y ayuda a crecer en libertad. Sostiene y da seguridad.

Aspecto negativo

Da amor de modo condicionado. Egoísta, dominante, exigente. Critica y corrige constantemente. Maneja a los otros y chantajea emocionalmente. Miedo de perder amigos o seres queridos. Susceptibles, reclamadores, pasan la factura por lo que hacen. Absorbentes, no dejan crecer. Se enojan si se ven frustrados y tienen baja tolerancia al *no*. Viven avisando que van a ser abandonados.

Lección

Aprender a amar sin esperar retribución a cambio. Dar sin esperar recibir. Dejar que el otro siga su propio camino.

Arquetipo

Anima. La mujer en sus diferentes aspectos, pero especialmente la gran madre.

Clínica

Ayuda a sentir la energía del amor fluyendo libremente, desde el centro interior hacia el afuera. Ayuda a darnos cuenta de que la finalidad del amar es el dar incondicional. Enseña a conocer el origen del amor dentro de nosotros. Corta el apego, la posesividad y la dependencia.

Quita la opresión del pecho, la angustia ante la necesidad del amor del otro. Opera adecuadamente en enfermos cardíacos, sexuales, dermatológicos, obsesiones e histeria.

Al facilitar el contacto físico con los demás, permite el establecimiento de un vínculo más íntimo y de piel con los otros.

Guía

¿Es posesivo con los que lo rodean?

¿Siente que no es querido como se merece?

¿Le hace notar a los que quiere todo lo que hace por ellos?

¿Siente que sabe lo que es mejor para sus seres queridos?

¿Decide por los otros porque piensa que puede hacerlo mejor?

¿Es criticón? ¿Corrige constantemente?

¿Fácilmente se siente herido por cosas que los otros hacen?

Vine
Vid

Descripción

Se trata de personas seguras de su capacidad para hacer y hacer hacer a los otros. Poseen un alto espíritu de fe en el éxito.

Los Vine pueden ser duros, codiciosos de poder, autoritarios en extremo grado, manipuladores con el objeto de conseguir sus objetivos, insensibles y con una buena dosis de falta de consideración y respeto hacia los semejantes.

Muy valiosos en situaciones de emergencia, poseen una gran inventiva para resolver situaciones críticas y sobrevivir en la "lucha por la vida".

Líderes natos, tienen tendencia a ser dominantes. Esto los conduce, por lo general, a privar a los otros de la libertad necesaria para crecer de acuerdo con los propios intereses.

A veces crueles y con dificultades para amar. Tienen una fuerza de voluntad significativa, comparable con la ambición y la compulsión al éxito que constituyen un estilo de vida.

Gran habilidad para darse cuenta de los puntos débiles del semejante. De decisiones rápidas, no piden, ordenan.

Función

Da energía para la lucha en la vida. Conduce la acción del sujeto en la búsqueda de lograr las metas propuestas. Es centro de la voluntad y la fuerza del hacer. La función Vine es también la de aportar la cuota necesaria de certeza en la propia seguridad y autoridad para dirigir. Da fuerza en la adversidad y evita bajar los brazos y entregarse sin pelear. Canaliza la agresividad acumulada en trabajo.

Palabras claves

Mandar. Dominar. Ordenar. Inflexibilidad. Poder.
"Las cosas se hacen como yo digo".
"Es por su propio bien que no le dejo hacer esto".
"Debo ganar a toda costa".

Argumento

Lo más importante en la vida es triunfar.

Mandato

Se debe ganar a cualquier precio.

Dirigir para mandar.

No se puede ser contemplativo.

Aspecto positivo

Usa la autoridad para ayudar al prójimo. Seguridad interior. Fuerza de voluntad. Fe en lo que se emprende. Capacidad para resolver conflictos. Buenos reflejos ante el peligro. Capacidad de servicio. Buena disposición para la tarea. Resistencia a la frustración.

Aspecto negativo

Ambición desmedida. Desconoce las opiniones de los otros. Agresividad. Autoritarismo. Inflexibilidad. Falta de escrúpulos. Generan temor en los otros. Crueldad. Manipuleo con el objeto de alcanzar su satisfacción. Prisionero de la pasión del éxito.

Lección

Aprender a respetar al semejante. Aprender a tener autoridad sin sojuzgar al otro.

Descubrir la raíz de la autoridad real y de la autoridad trascendente.

Arquetipo

Sombra. Se vincula muy especialmente con aquellos aspectos arcaicos de la lucha por la vida, la impulsividad y la agresividad como vía de descarga de la energía. También está conectada con los aspectos dominantes y opresores rechazados de nosotros mismos.

Clínica

Da comprensión de los puntos de vista ajenos. Da capacidad de delegar autoridad y responsabilidades. Permite al sujeto respetar la libertad de los otros. Hace carne el hecho de que dirigir es servir. Desarrolla la aptitud para ayudar y para aceptar puntos de vista distintos de los propios.

Al poner en contacto al Yo con las pulsiones agresivas facilita que éstas sean canalizadas hacia una actividad constructiva.

Muy útil en casos de hipertensión arterial, rigidez de columna, psicopatías, perversiones, tendencias autoritarias y dominantes. Trabaja muy intensamente el nivel del ser del sujeto. Actúa benéficamente en aquellas personas que se mortifican con enfermedades físicas. Dulcifica, da comprensión y mayor sabiduría.

Guía

¿Tiene tendencia a imponer sus ideas a toda costa?
¿Escucha las opiniones de los otros y las valora?
¿No soporta los cuestionamientos?
¿No le interesan los medios con tal de alcanzar sus objetivos?
¿Es inflexible en sus determinaciones?
¿Le cuesta amar?

Rock Water
Agua de Roca

Descripción

Son personas cuya esencia es la disciplina. Son generalmente rígidos y no se permiten disfrutar de los placeres de la vida. Muy autocríticos, suelen autocastigarse intensamente por los errores cometidos. Bach señala que "son maestros severos consigo mismos".

Se presentan como modelos a ser imitados. Cuidan su estado físico y psíquico, y tienen una visión estricta y ascética de la vida.

La falta de flexibilidad puede conducir a la cristalización de la personalidad.

Les cuesta aceptar los cambios. La ley y el orden son un valor superior en la dinámica de su existencia.

Son personalidades estructuradas que se conectan por medio de formas antes que por los afectos. Hacen crecer desde el orden, la disciplina, las normas.

Función

Desbloquea. Es el sostén de la disciplina como orden y equilibrio. Coordina la función de diferenciación y ajuste del Yo al sistema de normas internalizadas por el sujeto como guía de su vida. Rock Water es también la fuerza que empuja el autocontrol y la inhibición de la libre descarga de las pulsiones. Impulsa a la personalidad a ajustarse a los proyectos y planes del alma.

Palabras claves

Autocontrol. Autorrepresión. Rigidez moral. Austeridad.
"Hay que suprimir las necesidades".
"Soy un ejemplo de buen comportamiento".
"El secreto es la disciplina".

Argumento

Para crecer hay que ser disciplinado, privarse, renunciar.

Mandato

No hay que dejar que las necesidades nos dominen.
Disciplina, sacrificio, orden.
La vida no se hizo para disfrutar.

Aspecto positivo

Altos ideales. Paz interior. Alegría en la vida. Capacidad de disfrutar. Mente abierta. Capacidad de alcanzar los ideales que guían su vida. Tolerantes consigo mismos. Aceptación de que nadie es perfecto.

Aspecto negativo

Perfeccionistas extremos. Rígidos. Dogmatismo. Autocrítica exagerada. Bloqueo en la capacidad de goce. Falta de conciencia de las compulsiones que los dominan. Tensión muscular. Formalistas. Falta de contacto con los semejantes. Autocastigo.

Lección

Aprender a permitirse ser. No postergar ni reprimir las necesidades. Aprender a revalorizar los contenidos por sobre las formas, el amor por sobre la disciplina.

Arquetipo

Animus. Se encuentra vinculado con la actividad masculina y la función paterna de establecimiento de orden y ley.

Clínica

Precipita en el sujeto el interés por las cosas de la vida que puedan dar placer y goce. Flexibiliza y afloja las corazas musculares. Distiende la presión en la columna. Hace que el sujeto deje de ser hipercrítico de sí mismo y se permita ser de acuerdo con la naturaleza. Revaloriza la disciplina como subordinada al contacto afectivo.

Otra consecuencia importante del Rock Water consiste en que el sujeto aprende a confiar en los puntos de vista y convicciones que surgen de él y por lo tanto a no ser influido por los otros.

De gran utilidad en pacientes obsesivos, en personas aparentemente inmunes a permitirse sentir, en aquellos cuya meta es ser invulnerables, y en general en toda caracteropatía.

Guía

¿Siente que tiene una misión en la vida de la cual no puede apartarse?

¿Cree que es importante ser ejemplo?

¿Tiene dolores de columna?

¿Cuando se equivoca en algo suele reprochárselo?

¿Es muy perfeccionista?

¿Tiene ideas muy firmes que no puede cambiar?

¿Hace siempre lo correcto?

Wild Oat
Avena Silvestre

Descripción

Se trata de personas que tienen la convicción y la ambición para realizar proyectos importantes, "para tener mucha experiencia y disfrutar de todo cuanto está fuera de su alcance, de vivir la vida a tope" (Bach) y de un modo poco convencional.

La capacidad para vivir a "full" las cosas se acompaña con una incapacidad para definir su vocación.

Con buena percepción de las posibilidades de futuro, las personalidades Wild Oat suelen padecer, sin embargo, de una persistente sensación de insatisfacción e irrealización. Generalmente muy capaces, les cuesta poco conseguir lo que quieren. Siempre desean algo especial, y es por esto que muchas veces les resulta costoso insertarse en el medio social. Están siempre adelante en el tiempo.

Función

Permitir encontrar siempre nuevas oportunidades en la vida. Desconstruir lo edificado para aspirar a una nueva posibilidad más satisfactoria. Catalizador de las emociones en las personalidades pasivas. Actualizador de lo latente y dormido, de lo aún no concretado. Guía la energía de las potencialidades hacia su realización. Ayuda a descubrir los intereses profundos de cada sujeto. Talla la piedra de la personalidad dejando emerger el ser. Ayuda al sujeto a echar raíces.

Palabras Claves

Indefinición, ambición, insatisfacción, ganas de crecer.
"No encuentro qué hacer con mi vida".
"No sé qué profesión elegir".
"No sé muy bien qué quiero ser".

Argumento

Reconocer las potencialidades para poder ser.

Mandato

Nunca se debe estar satisfecho.
Hay que hacer cosas especiales en la vida.
Hay que ser ambicioso.

Aspecto Positivo

Descubrir siempre nuevas posibilidades. Habilidad para darse cuenta de las potencialidades y para desplegarlas al máximo. Talentoso y versátil en sus capacidades. Ambiciones e ideas definidas. Capacidad para hacer todo bien. Gran conexión con los aspectos superiores de su estructura de vida. Flexibilidad para poder hacer varias tareas simultáneamente y con eficacia. Fuerza y empuje de realización.

Aspecto Negativo

Ideas vagas de lo que quiere ser. Ambición desmedida. Incapaz para dirigir su vida. Frustración ante la falta de concreción de proyectos. Insatisfacción y hastío. Fuertes sentimientos de aburrimiento. Desperdicia las capacidades latentes. Elige los lugares de trabajo, el estudio y la pareja de modo equivocado. Falta de ganas para comprometerse en tareas o proyectos. Sentimiento de inadecuación en la vida. Dificultad para involucrarse afectivamente.

Lección

Aprender a descubrir las potencialidades latentes y los caminos mediante los cuales se las puede realizar. Aprender a planear en pequeños plazos para alcanzar a concretar los proyectos. Aprender a canalizar las energías hacia un objetivo.

Arquetipo

Plenitud. Especialmente en aquellos aspectos del arquetipo que se vinculan con el proceso de descubrimiento de las potencialidades aún no realizadas.

Clínica

Cataliza al sujeto pasivo haciendo emerger la información que la conciencia necesita para definirse. Es eficaz en aquellas personas que no creen que la vida les puede dar nuevas oportunidades o que no saben crearse nuevas situaciones o encontrar nuevas relaciones. Muy útil en los procesos de decisión vocacional. También trabaja positivamente en ciertas afecciones psicosomáticas, en especial respiratorias y digestivas. Para remitir la depresión de los "treinta y pico". Ayuda a disolver núcleos egoístas y ambiciones fuera de realidad. Integra las energías propias y permite una adecuada canalización hacia el objetivo.

Guía

¿Se siente insatisfecho con lo que está haciendo con su vida?
¿Siente que la vida le pasa de costado?
¿Todo lo que hizo no le trajo ninguna satisfacción?
¿Le gustaría encontrar una nueva actividad, carrera, pareja?
¿Siente que tiene otras cosas para hacer con su vida?
¿Siente que posee más potencialidades de las que usa?
¿Le cuesta ver claro lo que quiere ser?

Tercera parte: Jung y Bach

"La Humanidad, el Espíritu de la Tierra, la Síntesis de los individuos y de los pueblos, la paradójica Conciliación del Elemento y el Todo, de la Unidad y de la Multitud: para que todas estas cosas consideradas utópicas y, no obstante, biológicamente
tan necesarias, lleguen a adquirir cuerpo en este Mundo, ¿no
sería suficiente que imagináramos que nuestro poder de amar
se desarrolla hasta abrazar a la totalidad de los hombres y de la
Tierra?"

TEILHARD DE CHARDIN

Epílogo
Un mismo proyecto

"El amor universal no es ya un algo psicológicamente posible, sino más aún, la única forma completa y última con que podemos amar."

P. T. DE CHARDIN

En los textos precedentes hemos tratado de mostrar algunas de las aristas posibles de las líneas de pensamiento de Jung y Bach intentando efectuar un movimiento de vuelta al sentido de sus lecciones.

Hay varios temas en los cuales estos dos pensadores parecieran concordar, uno de los cuales tal vez sea lo que Jung denomina proceso de individuación y Bach proceso de evolución.

Para ambos, el hombre se encuentra en un *tránsito* en la vida que debe recorrer hacia un nivel mayor de conciencia y evolución, siendo la meta alcanzar un estado de perfección, de saber y de integración en la armonía y el amor, que implique una diferencia en relación a vidas anteriores.

De este modo, vivir es la oportunidad de efectuar un recorrido hacia la individuación o hacia la perfección. Se trata de metas, de un proyecto inacabado, al cual la naturaleza del hombre tiende, y al que también la humanidad parece que debe dirigirse.

Hay en este sentido un punto de curiosa y significativa relación. Jung piensa que la individuación sólo es posible en el marco de la realización colectiva de la sociedad, y Bach imagina la imposibilidad de autorrealizarse en la individualidad aislada. Es como si ambos dijeran que "nos plenificamos en conjunto o nuestra realización siempre será imperfecta".

En este camino el hombre debe integrar, desde Jung, la totalidad de sus constelaciones inconscientes, dialogar con su sombra, porque ella también forma parte de nosotros. Así con la sombra, como con cada uno de los complejos autónomos de nuestro universo transpersonal. Y desde Bach, el sujeto deberá suprimir sus defectos desarrollando las virtudes correlativas, pero siempre teniendo como precondición el exhaustivo conocimiento de aquello que las lecciones de la enfermedad le han permitido saber de sí.

Las flores representan universales del psiquismo humano. Emociones que todos los hombres compartimos y que han quedado en nosotros, formando parte de nuestra naturaleza, como corolario de una historia de la especie. Los estados emocionales son engramáticos y las flores son símbolos de ellos.

Los patrones inconscientes, arquetipos, guardan en el campo de los registros del inconsciente transpersonal o colectivo la misma relación que las emociones con la estructura energética del ser humano. Los arquetipos son lecciones incorporadas en la memoria de la humanidad que se repiten porque no se han podido aprender. Las emociones son mensajes no comprendidos que reiteran su pedido.

El inconsciente colectivo ocupa en Jung una posición similar —no igual— al concepto de alma de Bach. Es la esencia inmortal que se opone a la transitoria personalidad del inconsciente personal. El alma, al modo semejante que la fuerza arquetípica, anhela volver al todo del cual partió y se separó. Busca el retorno a la unidad.

Pero también, como la personalidad, el nivel psíquico individual (consciente e inconsciente) despliega en su accionar los intereses inmanentes del sujeto, oponiéndose por compensación a la fuerza transpersonal trascendente.

Es en este marco en que la enfermedad es una oportunidad de aprendizaje. Tanto Jung como Bach la ven, cada cual a su modo, como poseyendo un sentido y, más aún, como formando parte del proyecto de vida de cada uno de nosotros. No se tiene una enfermedad, se "es" enfermo. Y este "ser" coloca a la enfermedad no como un acontecimiento, sino como una condición ontológica del hombre. Una potencialidad que se actualiza en la necesidad de ayudarnos a corregir un rumbo o aprender una lección que nos lleve adelante en nuestro proceso evolutivo.

Así la enfermedad —no las enfermedades— constituye símbolos que expresan un mensaje personal y transpersonal, que une el karma con el inconsciente colectivo, el destino con la creatividad, el pasado con el futuro. Y entonces la terapéutica no consiste más que en un encuentro en el cual se adquiere la "luz" sobre una zona de sombras de nosotros mismos, que debe ser puesta en relación con la totalidad de nosotros mismos, porque sin ella no tenemos posibilidad alguna de alcanzar la perfección o la individuación.

Que la enfermedad tenga un sentido,
que la enfermedad sea una oportunidad,
que la enfermedad no sea algo negativo,
que la enfermedad nos enseñe una lección,
que la enfermedad sea una condición ontológica,
que la enfermedad forme parte de un proyecto de vida
preparado tanto desde lo transpersonal como desde lo personal,
tanto desde lo individual como desde lo colectivo,
tanto desde lo inmanente, como desde lo trascendente,

representa para nosotros un punto de inflexión, que como en dos tiempos lógicos —no cronológicos— Bach y Jung produjeron con sus obras en la historia del pensamiento científico.

Es quizás por esto, que el jardín floral y la red arquetípica se conjugan como dos fuertes corrientes de aire que empujan las velas del espíritu humano hacia una dirección sin retorno. Más adelante en el tiempo, en épocas futuras, aún muy lejanas, la humanidad aprenderá la lección y podrá dejar de padecer "su doloroso sentir". Y si este sueño no se realiza, si el hombre permanece en su condición actual, no por ello podremos olvidar que en un tiempo dos hombres —como muchos otros— ayudaron a la humanidad a descubrir su intimidad, el sentido de su existencia y la esperanza de un tiempo pleno de amor, unidad y sabiduría.

Apéndice

Relaciones entre flores y arquetipos

En las columnas que siguen están vinculados algunos de los arquetipos con distintas flores de Bach. Esta relación hay que pensarla en el contexto de todo lo expuesto en el libro y sólo marca predominancias que hemos tomado de la clínica antes que de la teoría.

Hemos constatado numerosas veces cómo la ingesta de cierta flor produce la emergencia de la vivencia de una determinada constelación arquetípica. O que un sujeto prisionero de cierta función arquetípica, luego de recibir la flor correspondiente, logra que sus sistemas psíquicos se compensen y disminuya la dominancia de ese arquetipo.

Sin embargo, insistimos en que se trata de un mapa o guía que ayuda a caminar, pero que el camino lo debe hacer cada caminante que, como nosotros, está dedicado a comprender y acompañar el dolor humano.

Arquetipo	Flor
Sombra	Vine - Cherry Plum
Máscara	Agrimony - Centaury
Anima	Chicory - Holly
Animus	Oak - Rock Water - Beech
Plenitud	Wild Oat - Star of Bethlehem - Vervain
Sí mismo	Holly - Star of Bethlehem
de Dios	Holly
del Mal	Vine
Gran Madre	Chicory

Anciano Sabio	Chestnut Bud
del Incesto	Mimulus
Mercurio	Crab Appel
de Abraxas	Wild Oat
del Milenio	Aspen
de Muerte y Resurrección	Sweet Chestnut
de los Ciclos	Mustard - Scleranthus
de la Creación del Mundo	Clematis
del Paraíso Perdido	Honey Suckle
del Niño	Agrimony
del Salvador	Vervain
de la Unidad	Holly
de la Dualidad	Scleranthus
de la Piedra Filosofal	Sweet Chestnut
del Héroe	Vervain - Elm

Bibliografía

C. G. Jung
Arquetipos e Inconsciente Colectivo, Paidós, Bs. As., 1970.
Consideraciones sobre la historia actual, Guadarrama, Madrid, 1968.
El hombre y sus símbolos, Aguilar, Madrid, 1966.
El secreto de la flor de oro, Paidós, Bs. As., 1959.
El Yo y el Inconsciente, Luis Miracle, Barcelona, 1976.
Formaciones del Inconsciente, Paidós, Bs. As., 1980.
La interpretación de la naturaleza y la psique, Paidós, Bs. As., 1964.
Paracélsica, Sur, Bs. As., 1966.
Psicología y Alquimia, Santiago Rueda, Bs. As., 1957.
Simbología del espíritu, Fondo de Cultura, México, 1962.
Tipos Psicológicos, Emecé, Bs. As., 1964.

E. Bach
La curación por las Flores, Edaf, Madrid, 1982.
Libérate a ti mismo, Traducción Escuela de Terapeutas Florales, Buenos Aires, 1989.
Dos conferencias de Bach, Traducción Escuela de Terapeutas Florales, Buenos Aires, 1989.

Bibliografía General del Centro Bach de Gran Bretaña
Questions and Answers, John Ramsell, Edward Bach Healing Centre, 1970.
The Medical Discoveries of Edward Bach Physician, Edward Bach Healing Centre, 1973, Nora Weeks.
Bach Flower Remedies, Philip Chancellor, 1971.
The Bach Flower Remedies Step by Step, Judy Howard, 1990.

Bibliografía Floral en Castellano

Pastorino, María Luisa, La Medicina floral de Edward Bach, Club de Estudio, Buenos Aires, 1987.

Espeche, Bárbara, Las Flores de Bach. Manual Práctico y Clínico, Ed. Continente, Bs. As., 1990.

Grecco, Eduardo y Espeche, Bárbara, Seminarios Florales, Escuela de Terapeutas Florales Dr. Edward Bach, Bs. As., 1987, 1988, 1989, 1990.

Bibliografía Floral de Alemania

Mechtchild Scheffer, Bach. Terapia Floral. Teoría y práctica, Traducción Escuela de Terapeutas Florales, Buenos Aires, 1990.

Indice

Tercera Parte: Jung y Bach

Colección
Terapias y Medicinas Alternativas
Volumen 10

TERAPIAS FLORALES Y PSICOPATOLOGÍA

✳

Eduardo H. Grecco

La Psicopatología es una ciencia dedicada al estudio de la enfermedad mental y a las variadas formas en las cuales ésta se manifiesta. Terapias Florales y Psicopatología es una obra en la cual se abordan los temas Semiológicos, Etiológicos y Nosográficos relacionados, paso a paso, con la teoría y la clínica floral.

Cada una de sus secciones se encuentra enlazada con las otras de modo tal que, en conjunto, constituye un manual que brinda formación tanto en los temas específicos de la Psicopatología como de la Terapéutica Floral.

Las terapéuticas florales se han convertido en unos de los centros de mayor gravitación dentro del campo de las medicinas naturales y no convencionales. Este fenómeno se debe, en gran medida, a la eficacia que han demostrado en el alivio del dolor y la cura de la enfermedad. Pero también ha contribuido a su difusión el progresivo desarrollo de un modelo de comprensión del proceso patológico. Un ejemplo muy concreto de este hecho es el presente libro en donde se encuentra el abordaje de las esencias florales aplicado al campo psicopatológico.

Se acompaña como anexo un listado de las flores mencionadas a lo largo de la obra con la referencia al sistema o sistemas en los cuales pueden ser encontradas. También el lector podrá encontrar una bibliografía que le permita ampliar los temas sobre los cuales quiera profundizar su investigación.

Colección

*Terapias y Medicinas
Alternativas*

Volumen 13

VOLVER A JUNG

✳

Eduardo H. Grecco

Este libro habla de Jung. Pero no de un Jung dogma o dios, sino de un pensador que pensaba a medida que iba comprendiendo la realidad. Si bien contiene en su primera parte los fundamentos del modelo de Jung, la idea que atraviesa todo el texto es proponer volver a Jung. No a su letra muerta sino a su sentido vivo. A la lección que legó como hombre preocupado por el dolor del semejante y de la humanidad. El porqué de esta necesidad se desprende de la lectura de la obra, que toma como ejemplificación del sistema psicológico de Jung el estudio comparado de los paradigmas religiosos, los modos de acceder a lo sagrado que los pueblos, a lo largo de la historia, fueron desarrollando. De este modo se muestra una aplicación concreta de las funciones arquetípicas y se lleva a pensar estas modalidades como modos también personales del acontecer psíquico y la dramática de la conducta. Así las religiones solares, para citar solo un ejemplo, que representan lo fijo, lo estable, la autoridad, lo normativo, el sacrificio como vía de perfección, se encarnan en un tipo psíquico arquetípico: el ánimus solar. Y este arquetipo a su vez se manifiesta en emociones, pensamientos, modos de comunicación y vínculos singulares.

Su autor, doctor en Psicología, ha escrito varias obras sobre temas psicopatológicos, psicoanalíticos y especialmente sobre terapias florales.

Colección
Terapias y Medicinas Alternativas
Volumen 3

FLORES DE BACH

Manual práctico y clínico

✳

Bárbara Espeche

La técnica floral del Dr. Bach es un método terapéutico alternativo, creado para enfrentar diferentes padecimientos del hombre, cambiar positivamente su estado emocional, expandir su conciencia y liberarlo de las tensiones que lo estresan.

Los remedios los proporciona la naturaleza y Bach selecciona un conjunto de esencias florales para prepararlos. Este sistema ha sido aprobado por la OMS dentro de las terapéuticas no convencionales y es exitosamente aplicado.

En este libro la autora aporta no sólo la estructura conceptual del sistema floral, sino también las reglas para su empleo. Diagnósticos diferenciales entre esstados emocionales y flores, cuadro comparativo de síntomas físicos y psíquicos, la lección que enseña cada flor, cómo preparar una receta, fórmulas combinadas, dosificación, imprengnación, son algunos de los temas tratados aquí.

Bárbara Espeche es docente e investigadora del campo de las ciencias de la conducta, coordinadora del Departamento de Terapéuticas Florales del Centro de Altos Estudios en Ciencias Alternativas, Buenos Aires, Argentina, y está dedicada especialmente al trabajo clínico en Flores de Bach.

Colección
Terapias y Medicinas Alternativas
Volumen 8

FLORES DE BACH II

Clínica, terapéutica y signatura

✳

Bárbara Espeche

La autora continúa en este texto el trabajo que inició con su primer libro "Flores de Bach. Manual práctico y clínico", del cual ya se han publicado 10 ediciones. Sin embargo, el presente plantea aspectos totalmente nuevos de las esencias florales, haciendo resaltar los relacionados con los temas clínicos, terapéuticos y simbólicos de cada una de ellas.

Luego de una introducción histórica, desarrolla de modo sistemático el estudio de cada uno de los 38 elementos que integran el jardín de Bach, con una perspectiva rigurosamente clínica que no descuida por ello la inclusión de significativos comentarios sobre la signatura de cada flor. Un agregado importante es la inclusión de casos clínicos que ejemplifican tanto el cuadro sintomático propio de cada estado emocional, como la acción específica de las esencias florales.

Pero tal vez uno de los aspectos más originales sea el capítulo dedicado al estudio de las relaciones entre el color floral y el mapa psíquico. Lo que lo torna especialmente valioso es el hecho de que incluyendo la dimensión energética la autora mantiene la demostración clínica como soporte de sus afirmaciones.

ESENCIAS FLORALES AUSTRALIANAS

Sistema Unicista Bush - Repertorio de Síntomas

✳

Bárbara Espeche - Eduardo H. Grecco

La aparición de los remedios unicistas australianos Bush ha significado un importante aporte a la Terapéutica Floral. Su valor no sólo reside en la intensidad de sus efectos, sino también en las ventajas comparativas que proporciona su aplicación en la clínica. Los terapeutas, al descubrir este instrumento, descubrirán no solo un sistema floral, sino también una propuesta para abordar el sufrimiento, el dolor y la enfermedad.

La Flores de Bush (flores de arbustos australiaanos) han traído no solo la fuerza curativa de la naturaleza, sino también una propuesta unicista de trabajo con las esencias florales.

Este sistema originado en Australia y creado por el Dr. Ian White, ha recibido en medios profesionales una amplia aceptación tanto por su originalidad como por su eficacia.

Los autores, destacados especialistas en el tema e introductores de este sistema en Argentina y Uruguay, abordan la descripción de cada una de las esencias que lo componen, los remedios especiales y agregan un repertorio de síntomas, que piden no sea leído mecánicamente, para no perder de vista que la curación debe atender al enfermo antes que a la enfermedad, y que un mismo síntoma en personas distintas puede tratarse con flores diferentes.

Colección
Terapias y Medicinas Alternativas
Volumen 7

BACH POR BACH

Obras Completas - Escritos Florales

✳

Dr. Edward Bach

A casi sesenta años de su muerte el sistema por él creado se encuentra difundido por todo el mundo y ha dado lugar aal surgimiento de un vasto movimiento terapéutico. Sus obras se encontraban sólo parcialmente traducidas al castellano, de modo tal que ciertos textos de mucha importancia son desconocidos.

El lector podrá encontrar en este texto los Escritos Florales del Dr. Edward Bach. Ellos conforman las bases fundamentales de la teoría y la práctica de la Terapéutica Floral. Algunos de éstos, desconocidos en castellano, iluminan signficativamente acerca del modo en el cual Bach concebía su práctica curativa.

* Cúrate a ti mismo
* Ustedes provocan su propio sufrimiento
* Libérate a ti mismo
* Los doce curadores y otros remedios
* Ensayos filosóficos
* Escritos masónicos
* Cartas, documentos, notas
* Historias de los remedios

Estos trabajos han sido traducidos con un rigor que trató de mantener el sentido de la letra de su autor sin perder su espíritu.

De este modo el lector tendrá acceso a los escritos fundamentales del creador de la Terapéutica floral y podrá profundizar el conocimiento de las bases de esta disciplina curativa.

Colección
Terapias y Medicinas Alternativas
Volumen 5

FLORES DE CALIFORNIA

Manual Práctico y Clínico

✳

Eduardo H. Grecco - Bárbara Espeche

Las terapias florales han provocado una suerte de revolución en el pensamiento clínico contemporáneo, no sólo por su real aporte al alivio del dolor y a la cura de las enfermedades, sino también porque se sustentan en una nueva concepción del hombre y de sus padeceres.

En este libro el Dr. Eduardo H. Grecco y la Lic. Bárbara Espeche -especialistas en la materia- presentan las Flores de California, uno de los más importantes sistemas florales, creado por Richard Katz y Patricia Kaminski en Sierra Nevada (California).

El lector podrá encontrar en sus páginas los fundamentos teóricos, el estudio sistemático de cada una de las 82 flores que integran el sistema, sus aplicaciones prácticas, el modo de preparación y uso, diagnósticos diferenciales, fórmulas especiales y una serie de temas más que ayudarán ciertamente a una adecuada práctica terapéutica con estas esencias.

Los autores de esta obra son co-directores de la Escuela de Terapeutas Florales "Dr. Edward Bach" y están dedicados, desde hace 10 años, a la labor de docencia, investigación y asistencia y vuelcan aquí no sólo la experiencia clínica sino también reflexiones sobre la salud, la enfermedad y la curación.

Es de destacar que ésta es la primera obra existente en el mundo sobre Flores de California, lo que da una dimensión del aporte que ella representa al campo floral.

Colección
terapias y medicinas
Alternativas
Volumen 11

FLORES DE CALIFORNIA II

Sistema de esencias pluralistas
Repertorio de Síntomas

Bárbara Espeche - Eduardo H. Grecco
María A. Valdez

El Jardín de California constituye, sin duda, uno de los sistemas más importantes de esencias florales del mundo. Lo es tanto por la constante investigación que desarrollan sus creadores como por la fundamentación que a lo largo de su existencia han ido sistematizando.

En esta obra, Bárbara Espeche y Eduardo Grecco, con la colaboración de María Alejandra Valdez, nos acercan una vez más el jardín floral de California. En esta oportunidad, junto al estudio de las nuevas esencias que Richard Katz y Patricia Kaminski (directores de la Flower Essences Service -FES-) han incorporado a su sistema, se presenta un repertorio de síntomas clínicos de gran utilidad para el terapeuta en su labor de ayudar "al que sufre y padece".

También se acompañan algunos cuadros comparativos que hacen de este texto una obra amena, comprensible y que viene a completar "Flores de California. Manual práctico y clínico" publicado por Ediciones Continente en 1991, libro que mereció el elogio de los creadores del sistema, tanto por la precisión del texto como por el modo en el cual sus autores supieron captar el espíritu que anima el jardín californiano.

Colección
Terapias y Medicinas
Alternativas
Volumen 12

ESENCIAS FLORALES AUSTRALIANAS

Sistema Unicista Bush - Repertorio de Síntomas

✳

Bárbara Espeche - Eduardo H. Grecco

La aparición de los remedios unicistas australianos Bush ha significado un importante aporte a la Terapéutica Floral. Su valor no sólo reside en la intensidad de sus efectos, sino también en las ventajas comparativas que proporciona su aplicación en la clínica. Los terapeutas, al descubrir este instrumento, descubrirán no solo un sistema floral, sino también una propuesta para abordar el sufrimiento, el dolor y la enfermedad.

La Flores de Bush (flores de arbustos australiaanos) han traído no solo la fuerza curativa de la naturaleza, sino también una propuesta unicista de trabajo con las esencias florales.

Este sistema originado en Australia y creado por el Dr. Ian White, ha recibido en medios profesionales una amplia aceptación tanto por su originalidad como por su eficacia.

Los autores, destacados especialistas en el tema e introductores de este sistema en Argentina y Uruguay, abordan la descripción de cada una de las esencias que lo componen, los remedios especiales y agregan un repertorio de síntomas, que piden no sea leído mecánicamente, para no perder de vista que la curación debe atender al enfermo antes que a la enfermedad, y que un mismo síntoma en personas distintas puede tratarse con flores diferentes.

Colección
*Terapias y Medicinas
Alternativas*

Colección
Terapias y Medicinas Alternativas